Cuisine créative avec ÉPICES

MODUS VIVENDI

Cuisine créative avec
ÉPICES

J•A•N•E   W•A•L•K•E•R

Copyright © 1999 Quintet Publishing Limited

Publié par **Les Publications Modus Vivendi Inc.**
C.P. 213, Dépôt Sainte-Dorothée
Laval (Québec) Canada
H7X 2T4

Dépôt légal: 4e trimestre 1999
Bibliothèque nationale du Québec
Bibliothèque nationale du Canada
Bibliothèque nationale de Paris

Traduit de l'anglais par Johanne Forget

ISBN 2-921556-81-2

— TABLE DES MATIÈRES —

*P*lus qu'une simple denrée, les épices ont contribué à changer le cours de l'Histoire. Leur importance se traduit d'ailleurs dans notre façon de parler: raconter une histoire «épicée», vivre une existence «pimentée» d'aventures, mettre un peu de «piquant» dans le quotidien… Voilà autant d'expressions qui évoquent le plaisir, l'originalité, l'exotisme, voire l'imprévu! Lutter contre l'ennui et la monotonie a toujours fait partie des préoccupations humaines, et cela depuis la nuit des temps. Quoique dépourvus de livres, de téléphone ou de télévision, ces gens avaient tout de même de quoi manger. On ne doit donc pas s'étonner du fait que les épices - ces puissantes sources de plaisir exotique - aient été si appréciées à travers les âges.

Mais comment définir les épices? Comment les distinguer des herbes, cet autre groupe de plantes qui poussent partout? Répondre à ces questions n'est pas simple. Le problème, c'est que la nature n'obéit pas aux objectifs de précision et de netteté qu'exige la classification botanique. Autrement dit, les épices représentent un concept humain, plutôt qu'une loi immuable de l'univers.

On peut bien sûr formuler un certain nombre de généralisations relatives aux épices et aux herbes. La première est que leur utilisation dans la préparation des aliments a une fonction principalement aromatique, plutôt que nutritionnelle.

Les épices et les herbes servent à assaisonner un autre aliment qui forme la majeure partie d'un repas ou d'un plat. Il existe tout de même des exceptions à cet énoncé général. Dans certains plats, l'ail est cuit comme un légume plutôt que traité uniquement comme une épice. Les herbes, en général, sont des petits bouts de feuilles vertes et parfois des parties de la tige des plantes aromatiques, mais qu'en est-il des épices? Il est vrai que très souvent elles sont séchées, tandis que les herbes s'utilisent aussi bien fraîches que séchées, mais encore ici on trouve des exceptions. Les épices viennent virtuellement de toutes les parties imaginables des plantes: le poivre et le piment de la Jamaïque sont des baies séchées; la cannelle et sa sœur, la casse, sont des écorces d'arbre; le gingembre et le curcuma sont des rhizomes; la muscade est la noix de la graine d'un fruit semblable à l'abricot, tandis que le macis est l'enveloppe de la graine ou l'arille du même fruit; les chilis, la vanille et la cardamome sont tous des fruits et les clous de girofle sont des boutons de fleurs non éclos. Incidemment, si ces boutons ne sont pas cueillis, ils deviennent de jolies fleurs roses très odorantes, mais ce ne sont plus des clous de girofle. Et l'ail… Certains disent que l'ail n'est pas une épice, alors que d'autres affirment que c'est une herbe. Il est vrai que la plante a des feuilles vertes en forme de lance, mais ce n'est pas la partie que l'on utilise pour l'assaisonnement.

Pour mettre fin à la confusion, certains auteurs, qui devaient désespérément être à court de sujets de réflexion, ont affirmé que les vraies épices devaient pousser sous les tropiques. Ils ont également inventé une troisième catégorie, différente des herbes et des épices, soit celle des graines aromatiques. Cela convient parfaitement, disons, pour le poivre: tout le monde convient que c'est une épice et qu'il pousse toujours près de l'équateur. Cela signifie, cependant, que l'ail, qui croît dans les

À GAUCHE: *De l'ail en vente au marché.*

CI-DESSOUS: *Des cueilleurs séparent les boutons des tiges des fleurs d'un arbre tropical à feuillage persistant de la famille du myrte. Les clous de girofle sont les boutons séchés des fleurs non éclos.*

régions tempérées, ne peut être considéré comme une épice, mais on peut difficilement le considérer comme une graine aromatique, puisque ce n'est même pas une graine! Avant de revenir à la case départ, il y aurait peut-être lieu d'admettre que l'exactitude des définitions est superflue et que ce qui importe vraiment c'est le plaisir du palais.

Les premières caravanes commerciales transportaient du sel, mais dès l'aube de l'histoire humaine, elles ont aussi transporté des épices. Les premières civilisations de la Méditerranée et du Moyen-Orient convoitaient les épices de l'Inde et des territoires situés plus à l'Est. On détient la preuve que les Égyptiens organisaient des expéditions vers la côte orientale de l'Afrique, il y a près de 4 000 ans de cela, uniquement pour se procurer des épices. Les deux écorces aromatiques, la cannelle et la casse, étaient particulièrement prisées. Les Égyptiens les utilisaient non seulement pour assaisonner les aliments, mais également dans les produits de maquillage et dans diverses fonctions cérémonielles, y compris les importants rites funéraires. Et que dire de cet extrait de l'Exode:

> L'Éternel parla à Moïse et dit: Prends des meilleurs aromates, cinq cents (sicles) de myrrhe, de celle qui coule d'elle-même, la moitié, soit deux cent cinquante (sicles) de cinnamome aromatique, deux cent cinquante (sicles) de roseau aromatique, cinq cents (sicles) de casse, selon le sicle du sanctuaire, et un hîn d'huile d'olive. Tu feras avec cela une huile pour l'onction sainte composition de parfums selon l'art du parfumeur; ce sera l'huile pour l'onction sainte. Tu en oindras la tente de la Rencontre et l'arche du Témoignage.

De nos jours le roseau aromatique pousse partout en Europe et en Amérique; on l'appelle aussi acore. La myrrhe, bien sûr, figure dans d'autres épisodes bibliques subséquents, particulièrement comme potion d'amour dans le Cantique de Salomon, et c'est l'un des cadeaux apportés par les rois mages à l'enfant Jésus. Le fait est que tous deux croissent encore au Moyen-Orient et qu'il en est ainsi depuis très très longtemps. Par contre, la cannelle et la casse ne poussent pas, et n'ont jamais poussé dans la région, et pourtant elles étaient commandées pour l'exécution des devoirs les plus sacrés: l'onction de l'Arche elle-même. D'où venaient-elles donc?

L'historien grec Hérodote s'est posé la même question, et il a évoqué une région dans les environs de la Mer Morte qu'il a appelée «la terre où pousse la cannelle». Il a écrit que de grands oiseaux utilisaient l'épice pour construire leurs nids: les Arabes s'en approchaient avec de gros morceaux de viande, les oiseaux la prenaient et la déposaient dans leurs nids, qui se brisaient sous le poids, de sorte que les hommes pouvaient cueillir la cannelle. De l'avis de l'historien, la casse était récoltée selon un plan tout aussi bizarre dans lequel des serpents jouaient le premier rôle.

Ce fut l'historien romain Pline le Jeune qui se rapprocha le plus de la vérité. Pline s'intéressa à la question le jour où ses fonctions officielles de trésorier l'amenèrent à s'inquiéter d'une crise dans la balance des paiements. Pour assurer leur approvisionnement en épices orientales, les Romains, qui aimaient le luxe, envoyaient de grandes quantités d'or à l'extérieur de l'Empire, en direction de l'Inde. Pline décrivit une série de voyages fantastiques, longs de milliers de kilomètres sur l'océan, de l'Inde à la côte orientale de l'Afrique. Les marchands de cannelle, sur de minuscules radeaux ouverts, naviguaient en se guidant sur les étoiles et mettaient souvent environ cinq ans pour compléter le voyage aller-retour. Pour leur peine, ils ramenaient chez eux des

CI-DESSOUS: *Les bâtons de cannelle sont préparés à partir de la précieuse écorce interne, après que l'écorce extérieure ait été enlevée.*
À DROITE: *Les racines de gingembre sont triées pour la vente.*

7

CI-DESSUS: *Les baies vertes sont mises à sécher au soleil.*
À DROITE: *Une fois séchées, après une dizaine de jours, les baies vertes deviennent les grains de poivre noir que nous connaissons.*

morceaux de verres, des bracelets et des babioles. Voici ce que Pline observa au sujet des Romains et des remarquables marins qui transportaient les épices: «Ainsi donc, ce trafic dépend principalement de la capricieuse fidélité féminine à l'élégance.» Il semble que la plus grande part de l'or revenait aux nombreux intermédiaires arabes.

Si Pline avait été linguiste, il aurait su que le mot latin pour désigner la cannelle (analogue au mot anglais d'aujourd'hui: *cinnamon*) était dérivé d'un mot hébreu presque identique utilisé dans la Bible, lui-même dérivé d'un mot de l'ancien malais, qui signifie «bois sucré». Pour avoir une idée de l'âge avancé de ce commerce d'épices sur longue distance, dites-vous que le moment où a vécu et écrit le Romain Pline est plus proche de nous qu'il ne l'était de l'époque où se situe l'Exode! La cannelle biblique venait donc probablement de la région de l'actuelle Malaisie. La casse, pour sa part, est probablement originaire des collines de Khasi dans l'Assam, une région située entre les parties septentrionales de la Chine et du Bangladesh. Elle aurait été transportée dans des sacs à dos ou au moyen d'animaux à travers toute l'Asie, le long du sentier tortueux qui un jour serait baptisé «La route de la soie».

Le commerce des épices est donc très ancien. Quand les Européens couraient encore pieds nus dans les bois vêtus de peaux d'animaux, un commerce florissant prospérait entre l'Orient et l'Occident, d'un bout à l'autre de l'Asie et de l'océan Indien. La situation allait évidemment un jour changer.

L'avantage des épices, c'est qu'elles se transportent bien et se conservent longtemps. Elles sont pour elles-mêmes leur meilleur contenant.

Geoffrey Chaucer, un poète anglais qui vécut entre 1300 et 1400, mentionnait dans un de ses poèmes, le gingembre, la réglisse, les clous de girofle et la muscade. Son gingembre venait sans doute de l'Inde ou de l'Afrique de l'Est, et la réglisse du sud de l'Europe, mais il y aurait bien des choses à dire sur ses clous et sa muscade. Il ne faut pas oublier qu'à l'époque de Chaucer les bateaux européens pouvaient rarement s'aventurer en haute mer et s'éloignaient le moins possible des côtes. L'idée de contourner l'Afrique aurait été considérée comme de la folie pure. Personne ne savait seulement si l'Afrique avait une fin: en fait, la plupart des gens à ce moment-là n'avaient sans doute jamais entendu parler de l'Afrique ou de l'océan Indien.

Pourtant, à cette époque, tous les clous de girofle du monde venaient d'un petit groupe d'îles situées près de l'équateur, entre Bornéo et la Nouvelle-Guinée: les Moluques, l'archipel aux épices. Ce qui est encore plus étonnant, c'est que toute la muscade du monde poussait dans un petit ensemble d'îles voisines connues sous le nom de Banda, c'est-à-dire connues des Indonésiens et des marchands arabes qui, depuis des

8

milliers d'années, les fréquentaient. Chaucer, ni personne d'autre en Angleterre, ne pouvait avoir la moindre idée de l'existence de cette région.

Il est aujourd'hui à peu près impossible d'imaginer le voyage épique d'un bout à l'autre de la surface du globe que durent faire ces épices pour aboutir dans la bière de Chaucer.

À l'époque de Chaucer, c'était Venise, la magnifique et puissante Ville-État, qui dominait la Méditerranée. Une grande part de sa fortune provenait de ses traités avec les marchands arabes concernant le commerce des épices. Toutes les épices fabuleuses de l'Orient qui inondaient l'Europe passaient par Venise, tout comme le faisaient de vastes quantités d'or et d'argent destinées à l'Orient. Les Vénitiens s'enrichirent, mais le reste de l'Europe commença à souffrir des mêmes crises de balances de paiements qui avaient si fort inquiété les Romains. Plus loin à l'ouest, dans la minuscule royauté du Portugal, qui venait de conquérir son indépendance, un homme décida de défier la suprématie de Venise. Au bout du compte, sa décision changea le cours de l'Histoire.

Le plan du prince Henry du Portugal était simple: trouver le bout de l'Afrique, contourner celle-ci jusqu'aux Indes et acheter les épices directement des producteurs, sans l'intermédiaire des Vénitiens et des Arabes. Avec le recul, cela paraît insensé. Il aurait aussi bien pu choisir de naviguer vers la lune ou la planète Mars. Il n'était toutefois pas seulement motivé par sa passion pour les épices; il détestait les Arabes musulmans et il espérait trouver un empire chrétien mythique en Orient. Il réunit autour de lui les plus grands érudits et les plus grands navigateurs et leur exposa son plan. Henry mourut avant de l'avoir accompli, mais c'est ainsi que les Portugais construisirent de nouveaux bateaux capables de naviguer contre le vent et conçurent de nouvelles méthodes de navigation qui leur permettraient de s'aventurer en haute mer.

Au cours des années 1480, les Portugais avaient réussi à contourner l'Afrique et étaient prêts à continuer leur chemin jusqu'à l'Inde elle-même. Cette perspective inquiéta tant l'Espagne, pays voisin du Portugal et son rival, que les Espagnols décidèrent de financer un navigateur italien qui prétendait pouvoir atteindre les Indes avant les Portugais en naviguant vers l'Ouest dans l'Atlantique, plutôt qu'en contournant l'Afrique. Le voyage de Christophe Colomb allait tout changer, mais nous en reparlerons plus tard.

En 1497, les Portugais atteignirent leur but, l'Inde. On raconte que leur chef, Vasco de Gama, aurait annoncé: «Je suis venu pour les Chrétiens et les épices.» Notons que l'Inde allait demeurer sous le joug de l'Europe pendant les 450 années suivantes! Colomb, bien sûr, à sa grande déception, n'a jamais trouvé les Indes. Il a trouvé des îles, des continents et des empires que ses compatriotes européens s'approprièrent avec empressement. Pendant les 500 années qui suivirent, le fait géopolitique dominant dans le monde serait le colonialisme européen, et tout cela a commencé par la recherche de la source des épices.

La découverte du Nouveau Monde transforma à jamais les habitudes alimentaires du Vieux Continent. Il est difficile d'imaginer une Europe pré-Amérique dépourvue de tomates, de pommes de terre, de chocolat, de vanille, de maïs, d'arachides et de dinde. Colomb sema une confusion durable en désignant les peuples qu'il rencontra du nom d'Indiens. De la même façon, il a continué d'obscurcir les eaux linguistiques

Le fruit de la muscade laisse voir la noix couverte de macis.

en conférant à deux plantes très différentes le nom d'une troisième, le poivre.

Le premier «poivre» qu'il découvrit présentait des baies un peu plus grosses que celles de la variété indienne, c'est-à-dire de la variété indienne «asiatique». De plus, il possédait un arôme extraordinaire qui rappelait les clous de girofle, la cannelle et la muscade. Il fut baptisé «la pimenta de Jamaica» ou poivre de Jamaïque. De nos jours, les Jamaïcains l'appellent pimento, mais il est connu sous sa forme moulue appelée piment de la Jamaïque. C'est une épice merveilleuse utilisée dans une grande quantité d'aliments commerciaux. Il est surprenant que le nombre de personnes qui l'utilisent dans la cuisine ne soit pas plus élevé.

Ce fut cependant l'autre épice découverte par Colomb qui a bouleversé le monde culinaire. Les capsicums, dans leurs nombreuses couleurs et variétés, étaient cultivés par les peuples du Mexique depuis pas moins de 9 000 ans! Puis survint Colomb, le marin égaré, qui décida de les appeler «pimientos» ou «piments» (en anglais *pepper* désigne le poivre, les poivrons (capsicums) et parfois les piments). De nos jours, dans certaines régions, nous appelons encore piments les gros capsicums (poivrons) doux, rouges et verts, de même que les variétés jaunes et rouges, beaucoup plus petites et plus fortes. Ceux-ci ne sont en aucune façon apparentés à la poudre qui fait éternuer et figure en bonne place sur la table à côté du sel. Pour éviter la confusion, nous désignerons les capsicums forts du nom qui leur vient de leurs cultivateurs américains: les chilis. Incidemment, le nom n'a rien à voir avec le Chili comme pays.

À part leur saveur, les épices ont été recherchées pour leur goût piquant et leur chaleur. Jusqu'à l'arrivée du chili en Europe, au début du 16e siècle, les épices utilisées pour leur goût piquant étaient le poivre, la moutarde, le raifort et probablement le gingembre. Chacune de ces épices apporte avec sa chaleur un complément de saveur entier. Avec les chilis, la saveur additionnelle est minimale: le goût piquant peut être obtenu sans perturber l'équilibre des autres saveurs. Comme ils sont faciles à cultiver, il n'est pas étonnant que les petits fruits brûlants aient prospéré partout où les marins espagnols, et plus tard portugais, se sont rendus. Ce fut sûrement un très grand jour dans l'histoire des aliments que celui où le chili est arrivé en Inde. De nos jours, ce pays en est le premier producteur au monde, et il est tout simplement impossible de concevoir la cuisine indienne sans la chaleur du chili. Le chili est tellement fondamental dans la cuisine indienne, que plusieurs refusent encore de croire que la plante n'est pas originaire de l'Inde, mais qu'elle y a été apportée par les Européens. Il est ironique que la conquête des épices de l'Inde a finalement entraîné la transformation de l'alimentation au sein de l'Inde elle-même.

Les deux nations «chrétiennes», l'Espagne et le Portugal, commencèrent à s'immiscer à tel point dans leurs conquêtes mutuelles que le Pape dut tracer une ligne imaginaire au centre de l'océan Atlantique pour séparer leurs sphères d'intérêts. Le Portugal pouvait avoir les territoires païens situés à l'est de la ligne, tandis que l'Espagne pouvait prendre ceux à l'ouest. Il n'était pas clair, cependant, d'après les anciennes cartes, si les Moluques et Banda, le royaume des clous de girofle et de la muscade, tombaient sous la coupe des Portugais ou des Espagnols.

Les Espagnols crurent que leurs prétentions seraient raffermies s'ils pouvaient atteindre les îles en naviguant vers l'ouest et en suivant le plan original de Colomb. Une expédition de cinq navires et deux cent trente hommes fut organisée et dirigée, ironiquement, par un Portugais, Ferdinand Magellan. Les navires se dirigèrent vers l'ouest dans l'océan Atlantique, pour longer la côte de l'Amérique du Sud et finalement atteindre l'océan Pacifique. L'expédition réussit à se rendre aux Moluques, mais Magellan lui-même avait déjà trouvé la mort, de même que de nombreux autres. Trois ans après le départ de l'expédition, un navire seulement retourna finalement en Espagne, avec dix-huit marins émaciés à bord. Indubitablement, ces dix-huit marins furent les tout premiers êtres humains à faire le tour du monde en bateau… pour des clous de girofle et de la muscade!

Le siècle suivant vit le déclin de l'Espagne et du Portugal et la montée de nouveaux empires européens encore plus impitoyables: l'Angleterre, la Hollande et la France. De grandes compagnies furent formées pour réunir les capitaux nécessaires à l'organisation d'expéditions vers l'est. Les Hollandais, en particulier, formulèrent et exécutèrent des plans

pour s'accaparer le marché mondial de plusieurs épices. Ils détruisirent tous les girofliers et les muscadiers sur terre, sauf ceux qui poussaient dans des îles étroitement gardées par eux. Les épices finirent par s'échapper pour être cultivées ailleurs, ce qui mit fin au monopole exclusif des Hollandais.

Vers le milieu du 18e siècle, la furieuse course aux épices commença à ralentir. En fait, les épices de prédilection changèrent. Au début, la cannelle et les clous de girofle étaient très prisés, parce que la méthode primitive de cuisson en Europe était la marmite unique posée dans l'âtre, où divers aliments de saveurs extrêmement différentes étaient cuits ensemble. Il n'y avait pas de distinction entre les mets sucrés, surs ou salés. La cannelle et les clous de girofle sont tous deux des épices liantes; on s'en servait donc pour lier les saveurs opposées du sucré et du sur. Le strudel à base de pommes sures et de sucre, par exemple, serait impensable sans la cannelle ou les clous.

L'avènement du four ménager signifia qu'il n'était plus nécessaire de faire cuire tous les aliments ensemble. Un nouveau type de plat vit le jour, le salé, qui permit à une nouvelle épice de s'affirmer: le poivre. La nouvelle nation, les

PAGE CI-CONTRE: *Un champ de crocus au moment de la récolte.*
CI-DESSOUS: *Le curcuma, vendu sous forme moulue, perd rapidement ses qualités aromatiques.*
À DROITE: *Une sélection de différents types de riz, de légumineuses et de haricots.*

États-Unis, s'engagea dans le commerce du poivre avec des bateaux rapides originaires de Salem, un port de la Nouvelle-Angleterre. Les profits retirés du commerce servirent à bâtir la plus grande partie du fonds industriel de l'État du Massachusetts.

Finalement, l'arrivée des épices orientales en abondance entraîna le déclin des épices européennes, la moutarde et le safran. La moutarde était destinée à connaître un certain nombre de renaissances, notamment dans la ville française de Dijon, et entre les mains de la compagnie anglaise de J. & J. Colman. Malheureusement, l'utilisation du safran ne s'est jamais plus répandue. De nos jours, le safran est cultivé principalement en Espagne, où il est utilisé dans les paellas locales.

Tout au long des siècles, les gens ont apprécié les épices non seulement pour leur saveur et leur goût piquant, mais pour les avantages qu'on leur supposait pour la santé. Il y a relativement peu de temps que l'alimentation et la médecine se sont séparées et distinguées. Chacune des épices contient un certain nombre de composants chimiques complexes et souvent puissants. La science médicale moderne ne fait état d'aucune propriété curative à l'égard de quelque épice que ce soit, bien que pendant des milliers et des milliers d'années, les gens de tous les continents ont vanté leurs vertus à cet égard.

Dans le présent livre, cependant, il est principalement question d'aliments, plus précisément de l'utilisation des épices dans la cuisine. De nos jours, il est plus facile que jamais de se procurer des épices. Tous les supermarchés qui se respectent en offrent une grande variété, bien qu'elles y soient principalement vendues sous forme moulue. En règle générale, les épices devraient être conservées dans des endroits sombres et des contenants hermétiques, surtout les épices moulues, qu'il faut consommer rapidement. C'est pourquoi nous vous recommandons, autant que possible, d'acheter les épices entières et de les moudre vous-mêmes.

Comme les moulins et le poivre en grains sont de plus en plus populaires, le poivre entier devient plus facile à utiliser. Voici une petite suggestion: mélangez quelques grains de

À GAUCHE: *Il est essentiel de récolter les graines de moutarde quand elles sont mûres, tout juste avant que les cosses éclatent et que les graines se dispersent.*
À DROITE: *Les baies de pimento, une fois séchées, portent le nom de piment de la Jamaïque.*

piment de la Jamaïque à votre poivre en grains, et utilisez ce mélange comme vous le feriez de poivre ordinaire.

Essayez la muscade entière. Au 18e siècle, on proclamait que la muscade était un médicament miracle, et les gens avaient toujours sur eux une noix de muscade et une râpe. Nous ne recommandons pas une telle pratique, mais rien ne peut remplacer la muscade fraîchement moulue. Or, il est aussi simple de la râper que d'agiter une bouteille. Vous devriez également faire connaissance avec l'adorable macis, sous sa forme d'arille. En fait, essayez toutes les épices, et, par-dessus tout, amusez-vous. Si les choses commencent à vous paraître un peu ternes, pourquoi ne pas y mettre un peu de piquant?

LES
— ÉPICES —

TERMES USUELS

FRANÇAIS	CANADIENS
Farine de blé complet	Farine de blé entier
Farine Type 55	Farine tout usage
Farine Type 45	Farine à pâtisserie
Farine additionnée de 3% de levure chimique	Farine préparée
Chapelure blonde	Chapelure sèche
Chapelure blanche	Chapelure fraîche
Levure chimique	Poudre à pâte
Carré de levure de boulanger	Levure comprimée
Crème aigre	Crème sure
Crème fleurette ou liquide	Crème légère (15%)
Crème fraîche	Crème riche (ou à fouetter 35%)
Beurre (généralement doux)	Beurre (généralement salé)
Sucre en poudre	Sucre granulé fin
Sucre glace	Sucre à glacer
Sucre roux	Cassonade
Pois cassés	Pois secs
Petit oignon frais	Ciboule
Pomme de terre chips	Croustille
Cuiller à café	Cuiller à thé
Cuiller à soupe	Cuiller à table
Cognac	Brandy
Patates sucrées	Patates douces

— LE PIMENT DE LA JAMAÏQUE —

Comme son nom l'indique, le piment (ou poivre) de la Jamaïque est originaire de cette région du monde. Toutefois, les Jamaïcains eux-mêmes ne le désignent pas de cette façon. Ils lui donnent plutôt le nom de "pimento". Ce dernier pousse sur des arbres géants, dans des vergers fabuleux et odorants qu'on appelle les allées des piments. On comprend difficilement pourquoi le piment de la Jamaïque, qui compte parmi les principales épices tropicales, est l'une des moins connues et des moins utilisées dans les cuisines domestiques. Pourtant, son odeur très particulière le rend indispensable dans l'industrie alimentaire, alors même que ses essences ou extraits figurent dans les pâtisseries et les produits de la viande du monde entier. Principal aromatisant dans les pays scandinaves, son utilisation est aussi très largement répandue en Pologne et en Russie.

Parmi toutes les épices, le piment de la Jamaïque est la seule dont l'approvisionnement pour l'exportation est totalement dépendante des Amériques, et c'est peut-être ce qui explique pourquoi sa popularité n'est pas unanime.

L'Europe et l'Asie ont découvert le piment de la Jamaïque il y a cinq siècles environ, ce qui représente une période relativement brève dans l'histoire de cette épice. Son odeur se compare à un mélange de clous, de cannelle, de muscade, voire de poivre.

En général, le piment de la Jamaïque est vendu déjà moulu, mais on le trouve de plus en plus sous forme de grains entiers séchés, notamment dans les supermarchés et les comptoirs à épices. C'est d'ailleurs ainsi que cette épice aux multiples usages est la plus aromatique. Il suffit de mettre les grains dans un moulin à poivre et de les utiliser comme du poivre noir en grains. En fait, nous vous suggérons de mélanger quelques grains de piment de la Jamaïque aux grains de poivre noir dans votre moulin à poivre pour donner une saveur plus originale à vos plats de tous les jours.

Le piment de la Jamaïque se marie très bien aux viandes, aux savouries (petites bouchées anglaises salées) et aux pâtisseries. Essayez-le dans les salades, les soupes et les fruits de mer.

— Le piment de la Jamaïque —

Curry de chevreau

4 PORTIONS

Le curry de chevreau est un plat très populaire en Jamaïque. On utilise généralement du chevreau, mais l'agneau peut lui être avantageusement substitué.

INGRÉDIENTS
1 kg de chevreau ou d'agneau
5 g / 1 c. à thé de sel
5 g / 1 c. à thé de poivre
2 piments forts rouges, frais, finement hachés
1 gros oignon haché
5 g / 1 c. à thé de poudre de curry (voir page 124)
30 ml / 2 c. à table d'huile végétale
2,5 g / 1/2 c. à thé de piment de la Jamaïque en grains
550 ml / 2 1/2 tasses d'eau
200 g / 1 1/2 tasse de pommes de terre en dés

PRÉPARATION
♦ Nettoyer la viande et la couper en cubes. Assaisonner de sel, de poivre, de piments forts et d'oignons hachés.
♦ Enrober les morceaux de viande de poudre de curry et laisser reposer pendant 1 heure.
♦ Chauffer l'huile dans une poêle à frire et faire sauter la viande à feu vif, jusqu'à ce qu'elle brunisse. Ajouter les grains de piment de la Jamaïque et l'eau.
♦ Couvrir et laisser mijoter très lentement, jusqu'à ce que la viande soit tendre, environ 2 heures.
♦ Ajouter les pommes de terre en dés et cuire jusqu'à ce que la sauce épaississe.
♦ Servir avec du riz et/ou des bananes plantain.

Vinaigre aromatisé

INGRÉDIENTS
1 brin de macis
7 g / 1 1/2 c. à thé de piment de la Jamaïque en poudre
7 g / 1 1/2 c. à thé de clous
1 bâton de cannelle
6 grains de poivre noir
7 g / 1 1/2 c. à thé de racine de gingembre fraîche
(ou marinée)
1,5 l / 6 3/4 tasses de vinaigre

PRÉPARATION
♦ Placer les épices dans un sachet de mousseline (coton à fromage), attacher solidement et mettre dans une casserole. Ajouter le vinaigre et couvrir.
♦ Laisser infuser pendant au moins 2 heures, puis retirer le sachet.

Laisser mariner pendant au moins 5 jours dans un pot fermé hermétiquement avant d'utiliser.

Chou rouge mariné

INGRÉDIENTS
1 chou rouge ferme, moyen
sel
1,5 l / 6 3/4 tasses de Vinaigre aromatisé

PRÉPARATION
♦ Éplucher le chou et le couper en quartiers; jeter les feuilles décolorées et le trognon. Couper en fines lanières.
♦ Mettre les lanières de chou dans un bol en salant généreusement entre les couches. Laisser reposer toute la nuit.
♦ Préparer le Vinaigre aromatisé (voir ci-dessous, à gauche).
♦ Rincer le chou et bien égoutter.
♦ Mettre dans des pots propres, jusqu'à ras bord, en évitant toutefois de trop tasser le chou. Couvrir de vinaigre aromatisé froid et fermer hermétiquement.
♦ Le chou cesse d'être croquant après trois mois; il est donc préférable de ne pas en préparer de trop grandes quantités à la fois.

Gâteau au miel

INGRÉDIENTS
150 g / 2/3 tasse de sucre
2 œufs
30 ml / 2 c. à table d'huile végétale
200 g / 2/3 de tasse de miel
300 g / 2 3/4 tasses de farine tout usage
5 g / 1 c. à thé de poudre à pâte
5 g / 1 c. à thé de gingembre moulu
5 g / 1 c. à thé de piment de la Jamaïque
5 g / 1 c. à thé de bicarbonate de soude
100 ml / 1/2 tasse d'eau chaude
amandes blanchies pour décorer
température du four: 180 °C / 350 °F / Gaz 4

PRÉPARATION
♦ Battre le sucre et les œufs en crème; ajouter l'huile et le miel, et mélanger soigneusement.
♦ Tamiser la farine, la poudre à pâte, le gingembre moulu, le piment de la Jamaïque et le bicarbonate de soude; ajouter le mélange de miel en alternant avec l'eau chaude.
♦ Verser le mélange dans un moule à pain graissé et enfariné.
♦ Le mélange devrait avoir une consistance lisse.
♦ Décorer d'amandes blanchies et cuire au four pendant 1 heure.

Le gâteau au miel est un mets traditionnel du Nouvel An juif.

— Le piment de la Jamaïque —

Gâteau aux épices

INGRÉDIENTS

200 g / 1 tasse de beurre ou de margarine molle
125 g / 1/2 tasse de sucre blanc
125 g / 1/2 tasse de sucre brun doré
4 œufs séparés
300 g / 2 3/4 tasses de farine tout usage
15 g / 3 c. à thé de poudre à pâte
10 g / 2 c. à thé de piment de la Jamaïque
10 g / 2 c. à thé de cannelle moulue
5 g / 1 c. à thé de muscade moulue
225 ml / 1 tasse d'eau
température du four: 190 °C / 375 °F / Gaz 5

PRÉPARATION

♦ Réduire le beurre ou la margarine en crème avec les sucres.

♦ Incorporer les jaunes d'œufs, un à la fois.

♦ Tamiser ensemble les ingrédients secs et les ajouter graduellement au mélange crémeux en alternant avec l'eau.

♦ Battre les blancs d'œufs jusqu'à ce qu'ils soient fermes, et les incorporer délicatement au mélange.

♦ Verser le mélange dans un moule carré de 22,5 cm bien graissé.

♦ Faire cuire dans le four préchauffé pendant 40 minutes.

♦ Laisser refroidir pendant 10 minutes, puis démouler le gâteau sur un treillis métallique.

— L'ANIS —

Imaginez que vous êtes en Grèce, au bord de la mer, en train de siroter la savoureuse boisson nationale, l'ouzo. Voilà l'essence de l'anis. La plante est l'une des premières épices à avoir été cultivées. Elle est aussi l'une des plus versatiles. Les Égyptiens la cultivaient autrefois pour l'utiliser dans diverses préparations et potions. De nos jours, elle pousse toujours très bien dans les régions méditerranéennes et même dans des climats plus tempérés, bien qu'elle ait besoin d'un été très chaud pour fleurir.

Le principal constituant aromatique de l'épice est une huile essentielle appelée anéthole, qui est également présente dans l'anis étoilé et le fenouil.

L'anis est un ingrédient répandu dans les gâteaux et les pâtisseries de toute l'Europe centrale. Particulièrement populaire dans la Rome antique, l'anis servait à aromatiser des biscuits que l'on offrait après les repas, pour favoriser la digestion. Ceux-ci avaient probablement un goût semblable aux biscuits dont la recette se trouve sur la page suivante.

Incidemment, l'anis a déjà été considéré comme ayant le pouvoir de chasser le mauvais œil, ce qui lui confère sans aucun doute un atout supplémentaire non négligeable.

— L'ANIS —

Biscuits à l'anis

INGRÉDIENTS
3 œufs
100 g / 3/4 tasse de cassonade
150 g / 6 c. à table de farine de blé entier
5 g / 1 c. à thé de poudre à pâte
20 g / 1 1/2 c. à table d'anis finement moulu
température du four: 170 °C / 325 °F / Gaz 3

PRÉPARATION
♦ Battre les œufs jusqu'à ce qu'ils prennent une couleur jaune pâle.
♦ Ajouter le sucre et battre pendant 3 minutes.
♦ Mélanger ensemble les ingrédients secs et les incorporer au mélange d'œufs.
♦ Déposer la pâte, une cuillerée à la fois, sur une plaque à pâtisserie bien graissée, et laisser un espace de 2,5 cm entre chaque cuillerée.
♦ Laisser reposer à la température de la pièce pendant 18 heures.
♦ Cuire dans un four préchauffé durant environ 12 minutes, ou jusqu'à ce que les biscuits commencent à se colorer.

— L'anis —

Tzimmes aux carottes et aux patates sucrées

6 PORTIONS

INGRÉDIENTS
1 kg / 7-8 tasses de carottes tranchées
environ 450 g / 3 tasses de patates sucrées tranchées
50 g / 1/4 tasse de sucre brun
15 g / 1 c. à table de farine
5 g / 1 c. à thé d'anis
150 g / 1/2 tasse + 2 c. à table de beurre
température du four: 200 °C / 400 °F / Gaz 6

PRÉPARATION
♦ Faire cuire les carottes et les patates sucrées pendant environ 1 heure.
♦ Mélanger ensemble le sucre brun, la farine et l'anis.
♦ Faire fondre le beurre et le verser dans un plat allant au four en couvrant bien toutes les surfaces.
♦ Mettre les légumes dans le plat et incorporer le mélange de sucre.
♦ Cuire au four jusqu'à ce que le mélange prenne une couleur brun doré.

Thé indien aromatisé

Pour cette boisson, le mélange de deux parties de Darjeeling avec une partie d'Assam donne de très bons résultats.

INGRÉDIENTS
550 ml / 2 1/2 tasses d'eau
5 g / 1 c. à thé de thé noir
1 pincée de cardamome moulue
4 clous de girofle entiers
2,5 g / 1/2 c. à thé d'anis
275 ml / 1 1/4 tasse de lait
10 g / 2 c. à thé de sucre brun

PRÉPARATION
♦ Amener l'eau à ébullition et la verser sur le thé.
♦ Ajouter toutes les épices et laisser infuser pendant 5 minutes.
♦ Filtrer le thé dans la théière et ajouter le lait chaud et le sucre.

Si vous préférez obtenir une boisson plus aromatisée, faites bouillir les épices dans l'eau quelques minutes avant de la verser sur le thé. L'anis a un goût très prononcé, mais il se dissipe rapidement.

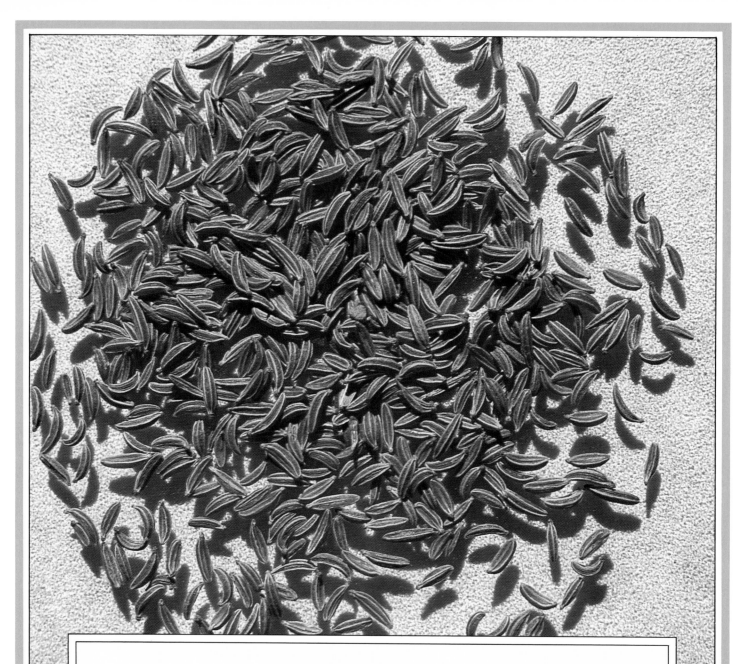

— LE CARVI —

Les graines de carvi se retrouvent généralement dans les pains de seigle de l'Europe centrale. Si certains considèrent le carvi comme l'essence même du pain qu'on appelle Kümmelbrot, d'autres s'en passeraient aisément. En outre, le carvi est souvent confondu avec cette autre épice qu'est le cumin (est-ce du carvi ou du cumin que les Français mettent dans le Munster?). Pour empirer les choses, le mot allemand qui désigne ces deux épices est le même, soit le mot Kümmel. Toutefois, nous savons de source sûre que le Kümmel, la liqueur allemande, est à base de carvi. Quoi qu'il en soit, il s'agit d'une épice pratique et facile à utiliser. Il suffit d'en saupoudrer quelques graines sur… eh bien presque n'importe quoi… les viandes, les pâtisseries, les soupes, les pommes de terre…

Tout comme l'anis, le carvi s'est vu attribuer un rôle de protection contre les effets de la magie noire. Ceci étant dit, les recettes à base de carvi que nous présentons ici n'ont absolument rien à voir avec l'Europe centrale ou le Kümmelbrot.

Singapour est l'un des plus importants carrefours d'épices du monde. Une portion considérable du poivre du monde entier passe dans ses ports. Les étals de satay abondent dans ses rues. Notre recette vient d'un petit commerçant local qui prétend que le secret est dans la sauce. Or, cette sauce c'est quelque chose!

20

— LE CARVI —

Gâteau aux graines de carvi

INGRÉDIENTS
200 g / 2 tasses de farine blanche tout usage
5 g / 1 c. à thé de poudre à pâte
10 g / 2 c. à thé de graines de carvi
125 g / 1/2 tasse + 2 c. à table de margarine
100 g / 1/2 tasse de sucre
3 œufs
température du four: 180 °C / 350 °F / Gaz 4

PRÉPARATION
♦ Tamiser ensemble la farine, la poudre à pâte et les graines de carvi.

♦ Travailler le beurre en crème avec le sucre jusqu'à l'obtention d'une consistance épaisse et homogène.

♦ Incorporer les œufs un à un.

♦ Incorporer soigneusement les ingrédients liquides dans les ingrédients secs. Si le mélange est trop épais, ajouter un peu de lait.

♦ Verser la pâte dans un moule carré de 17,5 cm et cuire pendant une heure.

Soupe aux pommes de terre

6 PORTIONS

INGRÉDIENTS
75 g / 6 c. à table de beurre
1 oignon finement haché
400 g / 3 1/3 tasses de pommes de terre en cubes
1 carotte râpée
sel au goût
2,5 g / 1/2 c. à thé de poivre blanc
5 g / 1 c. à thé de graines de carvi
750 ml / 3 1/4 tasses d'eau
30 g / 2 c. à table de semoule de blé
750 ml / 3 1/4 tasses de lait
25 g / 3 c. à table de persil haché
100 ml / 1/2 tasse de crème sure

PRÉPARATION
♦ Faire fondre le beurre dans une casserole et y faire brunir l'oignon.

♦ Ajouter les pommes de terre, la carotte, le sel, le poivre et les graines de carvi. Remuer jusqu'à ce que tous les ingrédients soient légèrement tendres.

♦ Ajouter l'eau et amener à ébullition.

♦ Ajouter la semoule, remuer, et cuire à feu doux pendant 20 minutes en remuant fréquemment.

♦ Ajouter le lait et le persil, et amener à ébullition.

♦ Servir avec de la crème sure.

Sauce satay

INGRÉDIENTS

1 oignon moyen haché
150 g / 1 tasse de cacahuètes rôties écrasées
3 gousses d'ail écrasées
5 g / 1 c. à thé de graines de carvi
10 g / 2 c. à thé de graines de coriandre
10 g / 2 c. à thé de curcuma
2,5 g / 1/2 c. à thé de poivre de Cayenne
50 g / 1/2 tasse de flocons de noix de coco
30 ml / 2 c. à table de sauce de soja
5 ml / 1 c. à thé de miel
450 ml / 2 tasses d'eau

PRÉPARATION

♦ Mélanger 50 ml / 1/4 tasse d'eau avec tous les autres ingrédients.
♦ Mettre ce mélange dans une casserole avec le reste de l'eau, et laisser mijoter jusqu'à ce que la sauce commence à épaissir.
♦ Laisser reposer pendant 30 minutes avant de l'utiliser.

La viande et les légumes peuvent être marinés dans cette sauce, puis grillés. La sauce satay peut également servir de trempette.

— LA CARDAMOME —

*L*a cardamome est une gousse d'environ 1 à 4 cm contenant des graines. Elle peut être utilisée entière, incluant l'enveloppe extérieure (péricarpe), mais les graines peuvent aussi être enlevées et séchées. La cardamome pousse dans les luxuriantes forêts tropicales du sud de l'Inde et du Sri Lanka, où elle est principalement récoltée par les femmes autochtones au prix d'un travail éreintant. L'épice a été introduite au Guatemala, lequel est maintenant devenu un pays exportateur. Outre les Indiens et les Sri Lankais — qui utilisent souvent les gousses entières dans les légumineuses — les principaux consommateurs de cardamome sont les Arabes. On sert le café aromatisé à la cardamome partout au Moyen-Orient. En Scandinavie, la cardamome est utilisée dans de nombreuses pâtisseries et sucreries.

L'épice est un ingrédient commun dans le célèbre mélange d'épices indien, le garam masala. Les Indiens l'utilisent aussi pour favoriser la digestion. Avec le safran et la vanille, la cardamome est l'une des épices les plus chères qui soient.

— LA CARDAMOME —

Caramels à la noix de coco

30-40 PORTIONS

INGRÉDIENTS

1,5 l / 7 1/2 tasses de crème riche
400 g / 1 3/4 tasse de sucre blanc
1 noix de coco réduite en pâte
5 g / 1 c. à thé de graines de cardamome moulues
2,5 ml / 1/2 c. à thé d'eau de rose

PRÉPARATION

♦ Mélanger ensemble le sucre et la noix de coco; ajouter graduellement la crème et l'eau de rose. Incorporer les graines de cardamome et remuer vigoureusement.
♦ Cuire dans une casserole à feu doux jusqu'à ce que le mélange se détache des côtés.
♦ Presser le mélange dans une plaque à pâtisserie graissée et laisser refroidir. Quand le mélange n'est plus chaud, tracer des carrés sur la surface; découper quand le mélange est tout à fait froid.

Omelette parfumée

1 PORTION

INGRÉDIENTS

2 œufs
4 cardamomes (gousses enlevées et moulues)
5 g / 1 c. à thé de graines de coriandre finement hachées
60 g / 4 c. à table de farine
30 g / 2 c. à table de yogourt
30 g / 1 c. à table beurre clarifié
persil haché (facultatif)

PRÉPARATION

♦ Bien fouetter les œufs.
♦ Ajouter la cardamome, la coriandre et la farine; remuer délicatement.
♦ Ajouter le yogourt et battre vigoureusement. Laisser reposer pendant 30 minutes.
♦ Faire chauffer le beurre dans une grande poêle, puis y verser le mélange d'œufs. Incliner la poêle dans tous les sens pour que le mélange en couvre bien le fond.
♦ Retirer l'omelette de la poêle et la saupoudrer de persil haché. Servir immédiatement.

Lait au miel

INGRÉDIENTS

275 ml / 1 1/4 tasse de lait
10 ml / 2 c. à thé de miel
10 g / 2 c. à thé de noix hachées
1 pincée de cardamome en poudre

PRÉPARATION

♦ Faire chauffer le lait.
♦ Ajouter le miel en remuant.
♦ Saupoudrer de noix hachées et de cardamome en poudre.

Café à la cardamome

Ajouter 2,5 g / 1/2 c. à thé de graines de cardamome dans le café pendant l'infusion. Cette boisson est très populaire au Moyen-Orient.

— LA CARDAMOME —

Firnee

INGRÉDIENTS

50 g / 1/2 tasse de farine de riz
450 ml / 2 tasses de lait
75 g / 1/3 tasse de sucre, de préférence du sucre vanillé
1 gousse de cardamome, grossièrement moulue
6 amandes
6 pistaches

PRÉPARATION

♦ Réduire la farine de riz, le sucre et un peu de lait en une pâte légère.
♦ Amener le reste du lait à ébullition.
♦ Retirer du feu et ajouter la pâte de farine de riz.
♦ Faire cuire à feu doux jusqu'à ce que le mélange épaississe.
♦ Parfumer de cardamome moulue.
♦ Verser dans un plat et décorer de pistaches.

Servir froid.

— LA CASSE —

On peut dire que la cannelle de l'un est la casse de l'autre. Les deux épices consistent en l'écorce d'espèces apparentées d'arbres à feuilles persistantes. Pour les Anglais, seule l'écorce sri lankaise, connue sous le nom de *Cinnamomum zeylanicum*, peut revendiquer le nom de cannelle. Toutes les autres sont de la casse. En Amérique, cependant, tous les types d'écorce sucrée peuvent s'appeler cannelle, même si elles viennent d'ailleurs que du Sri Lanka. En fait, les États-Unis n'importent virtuellement aucune épice que les Anglais désigneraient comme de la cannelle.

On ne peut dire que ce soit trop limitatif, car même les Français regroupent les deux épices sous un seul terme, soit celui de cannelle.

La *Cinnamomum zeylanicum* est généralement reconnaissable aux composants du bâton qui sont presque aussi minces que du papier, tout en étant très rigides. La casse se présente en morceaux déroulés ou en bâtons plus épais.

La cannelle aurait un goût plus léger et plus raffiné.

La casse est originaire de l'Indonésie, de la Chine et du Vietnam.

— La casse —

Tablettes de rêve

15 PORTIONS

INGRÉDIENTS

PARTIE 1
50 g / 1/4 tasse de sucre brun
100 g / 1/2 tasse de beurre
100 g / 1 tasse + 2 c. à table de farine
température du four: 180 °C / 350 °F / Gaz 4

PRÉPARATION

♦ Réduire le beurre et le sucre en crème, puis ajouter la farine tamisée.
♦ Presser le mélange dans un moule rectangulaire de 23 x 32 cm bien graissé.
♦ Cuire dans le four préchauffé environ 15 minutes.

INGRÉDIENTS

PARTIE 2
3 œufs
100 g / 1/2 tasse de sucre brun
75 g / 3/4 tasse de farine
5 g / 1 c. à thé de poudre à pâte
5 g / 1 c. à thé de casse
50 g / 1/3 tasse de noix de coco en flocons
75 g / 3/4 tasse de noix hachées
température du four: 170 °C / 325 °F / Gaz 3

PRÉPARATION

♦ Battre les œufs et ajouter le sucre.
♦ Mélanger ensemble la farine, la poudre à pâte, la casse, la noix de coco et les noix. Incorporer le tout au mélange à base d'œufs.
♦ Verser tout le mélange sur la partie 1, et cuire encore dans le four préchauffé pendant 30 minutes.
♦ Laisser refroidir et couper en tablettes.

Carrés au chocolat Parkin

8-12 PORTIONS

INGRÉDIENTS
150 g / 1 1/2 tasse de farine de blé entier
150 g / 2 tasses de flocons d'avoine
10 g / 2 c. à thé de piment de la Jamaïque
10 g / 2 c. à thé de gingembre
10 g / 2 c. à thé de casse
10 g / 2 c. à thé de crème de tartre
5 g / 1 c. à thé de bicarbonate de soude
100 g / 1/2 tasse de margarine
75 g / 1/3 tasse de sucre brun
175 ml / 3/4 tasse de sirop de maïs
1 œuf battu
température du four: 150 °C / 300 °F / Gaz 2

PRÉPARATION

♦ Mélanger ensemble tous les ingrédients secs, sauf le sucre brun.
♦ Ajouter la margarine et bien mélanger.
♦ Réchauffer le sucre brun et le sirop de maïs dans un bol distinct, et incorporer dans le mélange à base de margarine.
♦ Ajouter l'œuf et bien mélanger.
♦ Verser le mélange dans un moule bien graissé et cuire pendant 1 heure -1 heure 1/2.
♦ Démouler sur une grille propre, laisser refroidir et couper en tranches.

Tartelettes aux bananes plantain

INGRÉDIENTS

PÂTISSERIE
200 g / 2 tasses de farine tout usage
5 g / 1 c. à thé de casse
2,5 g / 1/2 c. à thé de muscade fraîchement râpée
sel au goût
100 g / 1/2 tasse de margarine
eau glacée

GARNITURE
15 g / 1 c. à table de beurre
100 g / 1 1/4 tasse de bananes plantain, très mûres et en purée
50 g / 1/4 tasse de sucre brun
2,5 g / 1/2 c. à thé de muscade fraîchement râpée
5 ml / 1 c. à thé d'essence (extrait) de vanille
15 g / 1 c. à table de raisins secs
température du four: 230 °C / 450 °F / Gaz 8

PRÉPARATION

♦ Tamiser ensemble la farine, la casse et la muscade, puis ajouter le sel.
♦ Faire pénétrer la margarine jusqu'à ce que le mélange ait la consistance d'une fine chapelure.
♦ Ajouter suffisamment d'eau glacée pour que le mélange tienne ensemble. Placer dans un endroit frais pendant 2 heures.
♦ Pour faire la garniture, faire fondre le beurre dans une casserole, puis ajouter les bananes plantain et le sucre brun. Faire cuire à feu doux.
♦ Retirer du feu les bananes cuites, et ajouter la muscade, la vanille et les raisins.
♦ Verser la pâte sur une planche enfarinée, la rouler très mince et la découper en cercles de 10 cm.
♦ Placer une grosse cuillerée de garniture au centre de chaque cercle.
♦ Plier chaque cercle, badigeonner les bords d'un peu de lait ou de jaune d'œuf et pincer pour fermer. Piquer la pâte avec une fourchette.
♦ Cuire dans le four chaud pendant 30 minutes ou jusqu'à ce que la pâtisserie soit légèrement brunie.

— LA CASSE —

Gâteau aux bananes

INGRÉDIENTS

100 g / 1/2 tasse de beurre ou de margarine
125 g / 1/2 tasse de cassonade foncée
3 œufs
4 bananes
10 g / 2 c. à thé de casse ou de cannelle moulue
5 g / 1 c. à thé de bicarbonate de soude
10 ml / 2 c. à table de lait bouillant
150 g / 1 1/2 tasse de farine tout usage
5 g / 1 c. à thé de poudre à pâte
température du four: 190 °C / 375 °F / Gaz 5

PRÉPARATION

♦ Faire fondre le beurre et le sucre ensemble.
♦ Incorporer les œufs en battant.
♦ Réduire les bananes en purée avec la casse ou la cannelle. Ajouter cette purée au mélange contenant les œufs.
♦ Mélanger le bicarbonate de soude avec le lait bouillant et ajouter au mélange.
♦ Incorporer la farine et la poudre à pâte tamisées ensemble.
♦ Verser le mélange dans un moule carré de 20 x 20 cm graissé et cuire dans un four préchauffé pendant une heure.

— Le cayenne —

Tous les chilis sont des capsicums, mais l'inverse n'est pas nécessairement vrai. Le terme capsicum vient du latin, *capsa*, qui signifie boîte. Et en effet, c'est bien ce à quoi ressemble ce fruit, une boîte pleine de graines. Les capsicums se répartissent en deux groupes: les *C. anum*, qui sont des plantes annuelles, et les *C. fruitescens*, qui sont des vivaces. Il n'est pas facile de les différencier, mais pour la plupart des problèmes culinaires, cela importe peu. Les capsicums semblent apparentés aux deux autres aliments du Nouveau Monde, les tomates et les pommes de terre.

Comme pour tout ce qui a trait à la culture des épices, il est difficile de faire des affirmations absolues à l'égard de ces plantes remarquables. Quand les Espagnols sont arrivés en Amérique, il en existait déjà de très nombreuses variétés. Maintenant que ces plantes ont fait le tour du monde, on en dénombre plus de variétés que l'on peut imaginer. En général, cependant, plus le capsicum est gros, plus il est doux; plus il est petit, plus il est fort.

Les variétés les plus petites et les plus fortes sont souvent appelées chilis. Le Cayenne est généralement vendu en poudre. À l'origine, il s'agissait de petits piments rouges forts de l'Amérique du Sud qui étaient séchés et réduits en poudre. De nos jours, la poudre de cayenne peut provenir de chilis de l'Amérique du Sud, de l'Inde ou du Sri Lanka. Elle peut aussi être constituée d'un mélange de différents chilis forts sous forme de poudre. Le chili en poudre est un mélange de capsicums forts réduits en poudre avec d'autres épices, de l'origan, de l'ail et du cumin.

— LE CAYENNE —

Pâté au thon

175 g de thon en conserve
1 gousse d'ail hachée
2,5 g / 1/2 c. à thé de cayenne
30 ml / 2 c. à table de jus de citron
50 ml / 1/4 tasse de crème à fouetter
1 goutte de sauce tabasco
persil frais haché
sel et poivre au goût

PRÉPARATION

♦ Égoutter le thon.
♦ Le réduire en purée avec les autres ingrédients.
♦ Verser le mélange dans un plat et réfrigérer pendant 3 heures.

— LE CAYENNE —

Cuisse de dinde à la diable

4 PORTIONS

Voici une bonne façon d'utiliser les restes au lendemain d'un grand festin à la dinde.

INGRÉDIENTS

4 cuisses de dinde (ou hauts de cuisse) cuites
beurre ou margarine fondu
chapelure brunie
5 g / 1 c. à thé de moutarde anglaise sèche en poudre
1 pincée de gingembre moulu
sel
poivre noir
5 g / 1 c. à thé de poivre de Cayenne

PRÉPARATION

♦ Couper les morceaux d'os des cuisses et hauts de cuisse qui gênent. Faire des entailles profondes dans la chair avec un couteau, et badigeonner de beurre fondu.
♦ Mettre la chapelure dans un bol et la mélanger avec le reste des ingrédients.
♦ Étendre le mélange de chapelure sur les morceaux de dinde et dans les entailles.
♦ Laisser reposer pendant une heure.
♦ Faire cuire sur un gril chaud graissé (sous un grilloir) jusqu'à ce que les cuisses soient brunies et croustillantes.
♦ Servir immédiatement avec des noix de beurre et, pourquoi pas, une sauce piquante.

Jus de tomates

INGRÉDIENTS

400 g / 1 1/4 tasse de tomates
150 ml / 2/3 tasse d'eau
sucre au goût
2,5 g / 1/2 c. à thé de poivre de Cayenne
poivre blanc au goût
sel

PRÉPARATION

♦ Couper les tomates en petits morceaux et les mettre dans une casserole avec l'eau et le sucre.
♦ Faire mijoter doucement pendant 10-15 minutes, jusqu'à ce que les tomates soient tendres et défaites.
♦ Passer les tomates au mélangeur avec l'eau. Si le jus est trop épais, ajouter de l'eau.
♦ Ajouter la cayenne, le poivre blanc et le sel.
♦ Réfrigérer et servir.

Artichauts et riz assaisonné

INGRÉDIENTS

2 kg d'artichauts de Jérusalem
jus d'un citron
75 g / 6 c. à table de beurre non salé
750 ml / 3 1/4 tasses de bouillon de légumes aromatisé
1 petit oignon finement haché
150 g / 2/3 tasse de riz
2,5 g / 1/2 c. à thé de poivre de Cayenne
100 g / 1/3 tasse de tomates pelées et en dés
sel et poivre fraîchement moulu
50 g / 1/2 tasse de cheddar râpé finement
persil haché

PRÉPARATION

♦ Gratter et laver les artichauts.
♦ Cuire les artichauts dans l'eau salée avec le jus de citron pendant environ 30 minutes, jusqu'à ce qu'ils soient tendres. Bien égoutter.
♦ Tourner les artichauts dans un peu de beurre. Ajouter une petite quantité de bouillon et garder au chaud.
♦ Faire fondre le reste du beurre et faire frire les oignons jusqu'à ce qu'ils soient tendres; ajouter le riz et le poivre de Cayenne. Remuer et cuire pendant quelques minutes sans faire brunir.
♦ Ajouter le reste du bouillon et cuire à feu doux pendant 30-40 minutes.
♦ Incorporer les tomates et cuire encore 5 minutes.
♦ Ajouter les assaisonnements et le fromage.
♦ Presser le mélange dans un moule en couronne graissé, attendre quelques minutes, puis démouler sur un plat chaud.
♦ Disposer les artichauts cuits au centre du plat sur le riz. Saupoudrer d'un peu de persil haché et servir immédiatement.

— LE CHILI —

On dit que le bœuf au chili (chili con carne) a été inventé par les cuisiniers des cantines ambulantes de l'Ouest américain qui suivaient les rassemblements de bétail dans les plaines du Texas. Avec le soleil torride, la poussière et les mouches toujours présentes, le chili était essentiel pour que la nourriture soit comestible. On raconte que les chefs des cantines n'hésitaient pas à ajouter un ou deux serpents à sonnettes pour mettre un peu plus de piquant dans leurs plats. De nos jours, d'un bout à l'autre de l'Amérique, on commémore ces temps anciens et glorieux par de grandes réunions d'amateurs de chili, qui se rencontrent à l'occasion de compétitions culinaires plus ou moins amicales.

Pour certains, dans le vrai bœuf au chili, les haricots n'ont pas leur place. Pour d'autres, même l'art macho de la préparation du chili doit évoluer avec le temps.

Bien des gens réduisent leur consommation de viande, surtout de viande rouge; pour eux une recette qui respecte leur choix et leur offre tout de même un plat aussi nourrissant que ceux qu'on servait autrefois est donc la bienvenue. N'en déplaise aux puristes, les haricots sont essentiels.

— LE CHILI —

Chili ordinaire (aux légumes)

Chili ordinaire (aux légumes)

8 PORTIONS

INGRÉDIENTS

1,5 l / 6 3/4 tasses de bouillon de légumes
75 g / 1/2 tasse de blé bulgur
30 ml / 2 c. à table d'huile d'olive
4 gousses d'ail écrasées
2 oignons moyens hachés
3 carottes hachées
5 branches de céleri hachées
100 g / 1 tasse de haricots verts
3 tomates pelées et hachées
2 poivrons verts (capsicums)
1-2 chilis rouges frais, hachés et épépinés
(ou des piments rouges séchés)
jus d'un citron

PRÉPARATION

♦ Amener la moitié du bouillon de légumes à ébullition.
♦ Ajouter le blé bulgur, retirer du feu, couvrir et laisser reposer pendant 15 minutes.
♦ Faire chauffer l'huile dans une grande casserole. Y faire cuire doucement l'ail et l'oignon.
♦ Ajouter les légumes et les épices. Cuire à feu doux pendant 10 minutes.
♦ Ajouter le blé bulgur, le jus de citron et le reste du bouillon.
♦ Cuire pendant une heure; ajouter plus de liquide si nécessaire.

Crabe au chili

4 PORTIONS

INGRÉDIENTS

100 ml / 1/2 tasse d'huile de sésame
1 kg / 4 tasses de chair de crabe
2 œufs battus

SAUCE

15 g / 1 c. à table de sucre
15 g / 1 c. à thé de sel
30 ml / 2 c. à thé de ketchup aux tomates

"REMPAH"

2 tranches de gingembre
3 gousses d'ail
4 chilis

PRÉPARATION

♦ Faire chauffer l'huile dans une poêle à frire jusqu'à ce qu'elle soit très chaude.
♦ Faire sauter la viande de crabe pendant 2 minutes, puis retirer.
♦ Ajouter le sucre et le sel au ketchup aux tomates.
♦ Écraser ensemble le gingembre, l'ail et les chilis.
♦ Ajouter la viande de crabe et la sauce au "rempah".
♦ Amener le mélange à ébullition à feu doux.
♦ Incorporer les œufs battus et servir immédiatement.

— Le chili —

Le Mole Poblano est le plat national du Mexique pour les jours de fête. Au moment de la conquête espagnole de ce pays, on appelait molli tout plat à sauce forte fait de plusieurs variétés de chilis piquants disponibles. D'après certains indices archéologiques, on préparait déjà ces mollis des milliers d'années avant l'arrivée de Christophe Colomb. Le Mole Poblano a résulté d'une tentative de marier des ingrédients venus d'Europe avec des ingrédients de la région. Les Aztèques du Mexique connaissaient la dinde, les chilis, le chocolat et l'arachide. Les Espagnols ont apporté du poulet, des amandes et de la cannelle.

L'idée de manger du chocolat avec du poulet peut paraître étrange à certains. Quand Cortez, le conquistador espagnol, est arrivé au Mexique, le chocolat était un mets délicat réservé à l'aristocratie et au clergé. Il est tout à fait possible que l'empereur aztèque Montezuma ait servi à Cortez un molli à base de chocolat. Alors quand vous essaierez cette recette, rappelez-vous que le plat était autrefois réservé aux personnes de noble naissance.

Un authentique Mole Poblano nécessite non seulement plusieurs variétés de chilis qu'on ne trouve pas aisément, mais exige un travail considérable à la meule à la pierre. Le Mole simple que nous vous proposons évoquera les fragrances exotiques du temps de Montezuma, et vous pourrez le préparer facilement dans votre cuisine.

Salade d'oignons

4 PORTIONS

INGRÉDIENTS
4 gros oignons finement hachés
1 petit chili vert fort, finement haché
1 tranche de gingembre finement hachée
15 g / 1 c. à table de noix de coco râpée
jus de 1/2 citron
sel au goût

PRÉPARATION
♦ Mélanger l'oignon et le chili ensemble.
♦ Ajouter le gingembre haché, la noix de coco, le jus de citron, et bien mélanger.

Tout à fait ce qu'il vous faut pour agrémenter les viandes froides.

— LE CHILI —

Mole simple

INGRÉDIENTS

1 gros poulet découpé
1 oignon moyen grossièrement haché
6 tomates pelées (ou 375 g / 1 1/2 tasse de tomates en
conserve)
3 chilis rouges, épépinés et hachés
2 gousses d'ail
30 g / 2 c. à table de graines de sésame
2,5 g / 1/2 c. à thé de graines de coriandre
30 g / 2 c. à table d'amandes entières
30 g / 2 c. à table de cacahuètes (arachides)
Un bâton de 1,5 cm de cannelle, en morceaux
30 ml / 2 c. à table d'huile d'olive
50 g de chocolat à cuire

PRÉPARATION

♦ Mettre les morceaux de poulet et l'oignon dans une casserole. Assaisonner et couvrir d'eau. Couvrir et laisser mijoter pendant 20 minutes.

♦ Retirer le poulet, puis l'assécher avec des serviettes de papier. Réserver le bouillon.

♦ Mélanger ensemble l'oignon cuit, les tomates, les chilis et l'ail.

♦ Moudre les graines, les noix et la cannelle.

♦ Faire chauffer l'huile d'olive dans une grande casserole à fond épais, et y faire brunir le poulet.

♦ Ajouter le mélange de tomates et le mélange contenant les noix. Cuire pendant 5 minutes.

♦ Ajouter la moitié du bouillon de poulet et le chocolat en morceaux. Remuer à feu doux jusqu'à ce que le chocolat soit dissous.

♦ Amener à ébullition, puis laisser mijoter jusqu'à ce que le poulet soit cuit; ajouter du bouillon si nécessaire.

— LE CHILI —

S ituée dans la partie méridionale du Mexique, la région du Yucatan possède quelques-unes des plus magnifiques ruines des civilisations précolombiennes de l'Amérique. Or, bien avant la construction des Grandes Pyramides ou de la Muraille de Chine, les habitants du Yucatan s'adonnaient à la culture des chilis. L'épice, qui figurait dans toutes leurs cérémonies, servait même à infliger des châtiments. Les enfants désobéissants étaient placés au-dessus de chilis brûlants et étaient forcés d'en inhaler les vapeurs. Quiconque a déjà fait brûler des chilis par accident dans sa cuisine sait quels effets dévastateurs cela peut entraîner.

Les diverses façons dont les épices piquantes font réagir les papilles gustatives démontrent à quel point la chimie de chacune est différente! Le poivre fait sentir un picotement sur le bout de la langue. Le gingembre est perçu plus fortement sur les côtés de la bouche et l'arrière de la langue. La moutarde, de par son action enzymatique unique, fait sentir une chaleur dans toute la bouche. La saveur particulière des chilis, même en petites concentrations, se fait sentir le plus fortement dans la gorge. L'effet peut devenir cumulatif tout au long du repas, alors même qu'ils peuvent sembler doux au départ: alors, attention!

Enfin, notons que si l'on organisait un concours pour déterminer qui cultive les piments les plus forts, les Japonais et les Ougandais auraient bien des chances d'emporter la palme.

Crevettes croquantes

4 PORTIONS

INGRÉDIENTS
400 g / 3 tasses de crevettes (plus elles sont petites, meilleures elles sont)
la chair de 1/4 de noix de coco
2,5 g / 1/2 c. à thé de coriandre en poudre
5 g / 1 c. à thé de chili en poudre
2,5 g / 1/2 c. à thé de poivre
5 g / 1 c. à thé de miel

PRÉPARATION
♦ Rincer et égoutter les crevettes.
♦ Râper la noix de coco.
♦ Mélanger ensemble la noix de coco râpée, les épices et le miel, puis ajouter les crevettes.
♦ Faire sauter le mélange à feu doux dans un poêlon (sans huile) jusqu'à ce que les crevettes soient croustillantes.

— LE CHILI —

Soupe du Yucatan

6 PORTIONS

INGRÉDIENTS

2 oignons moyens finement hachés
400 g / 1 1/2 tasse de tomates pelées et hachées
6 chilis verts épépinés et hachés
6 gousses d'ail écrasées
coriandre fraîche hachée au goût
1,5 l / 9 tasses d'eau
600 g de poisson blanc, en filets et dépouillés
10 raisins blancs

PRÉPARATION

♦ Mettre les légumes, les épices et les herbes dans une grande casserole.
♦ Ajouter l'eau et amener à ébullition.
♦ Faire mijoter jusqu'à ce que les oignons soient tendres.
♦ Ajouter le poisson et laisser mijoter pendant 10 à 15 minutes.
♦ Incorporer les raisins et continuer la cuisson pendant 10 minutes.

Servir immédiatement avec du pain frais chaud.

— LA CANNELLE —

La vraie cannelle vient en grande partie du Sri Lanka et la façon de la récolter a peu changé depuis des milliers d'années. Les personnes qui récoltent la cannelle travaillent en famille où chacun des membres s'acquitte d'une tâche spécifique. On coupe les jeunes pousses d'arbres très tôt le matin et les branches sont apportées dans une cabane qu'on appelle wadi. On retire d'abord l'écorce extérieure, puis on gratte la branche avec une tige de laiton. L'écorce intérieure est ensuite écrasée et retirée. Puis, elle est coupée en bâtonnets de longueurs standard et enroulée sur elle-même, à la manière d'un cigare. Les enfants ramassent les morceaux qui traînent pour remplir les bâtons plus légers qui, avec tous les autres, sont mis à sécher sur le toit du wadi. Ainsi, le bâton de cannelle que vous utilisez a de fortes chances d'avoir été cueilli par plusieurs mains, sans l'aide d'aucune machinerie.

L'un des plus grands pays importateurs de cannelle est le Mexique. Dans cette région du monde, on utilise la cannelle dans le chocolat. En fait, on voit fréquemment les Mexicains brasser leur chocolat chaud avec des bâtons de cannelle.

La cannelle est également combinée avec le chocolat et le café dans cette délicieuse boisson italienne connue de tous, soit le célèbre cappuccino. En Scandinavie, on utilise la cannelle pour accentuer la chaleur des punchs à Noël. Par-dessus tout, l'emploi le plus précieux de la cannelle consiste à lier le goût acidulé des pommes avec le goût du sucre.

La cannelle a toujours été associée à la sensualité, à la chaleur, et même à l'amour.

— LA CANNELLE —

Tarte aux pommes à la cannelle

INGRÉDIENTS

PÂTE
75 g / 6 c. à table de beurre
150 g / 6 c. à table de farine tout usage
50 ml / 1/4 tasse d'eau

GARNITURE
5 pommes de table tranchées
25 g / 2 c. à table de beurre
22,5 g / 1 1/2 c. à table de sucre roux
Un bâton de 7,5 cm de cannelle, en morceaux
1 œuf
50 ml / 1/4 tasse de crème à fouetter
température du four: 200 °C / 400 °F / Gaz 6

PRÉPARATION
♦ Préparer d'abord la pâte en faisant pénétrer le beurre dans la farine, puis en ajoutant l'eau pour former une boule.
♦ Tapisser de pâte une assiette à tarte de 20 cm. Couvrir la pâte de papier ciré ou de papier d'aluminium. Remplir l'assiette de haricots et cuire pendant 20 minutes.
♦ Cuire les pommes, le beurre, le sucre et la cannelle, jusqu'à ce que les pommes soient tendres.
♦ Égoutter les pommes et réserver le jus. Disposer les pommes dans l'abaisse de tarte cuite.
♦ Mélanger ensemble l'œuf, la crème et le jus réservé. Verser le mélange sur les pommes.
♦ Cuire pendant 20 minutes.

— LA CANNELLE —

Gâteau aux pommes

8 PORTIONS

INGRÉDIENTS

GÂTEAU
2 œufs
75 g / 1/3 tasse de sucre
5 ml / 1 c. à thé d'essence (extrait) de vanille
75 ml / 1/3 tasse d'huile végétale
150 g / 6 c. à table de farine tout usage
10 g / 2 c. à thé de poudre à pâte
1 pincée de sel
45 ml / 3 c. à table de jus d'orange

GARNITURE
6 pommes de table pelées, évidées et tranchées
50 g / 1/4 tasse de sucre roux
1 bâton de cannelle de 5 cm écrasé
jus de citron
température du four: 180 °C / 350 °F / Gaz 4

PRÉPARATION
♦ Battre les œufs, le sucre et la vanille ensemble, puis incorporer l'huile.
♦ Tamiser ensemble la farine, la poudre à pâte et le sel, puis les incorporer dans le mélange contenant les œufs, en ajoutant peu à peu le jus d'orange.
♦ Verser la moitié de la pâte dans un moule carré de 20 cm bien graissé.
♦ Pour faire la garniture, couper les pommes en tranches minces et mélanger celles-ci avec le sucre, la cannelle écrasée et le jus de citron.
♦ Verser la garniture aux pommes dans le moule et couvrir du reste de pâte.
♦ Cuire au four pendant 50-60 minutes.

Tarte aux patates sucrées

4-6 PORTIONS

Cette recette est particulièrement populaire aux Caraïbes; les patates sucrées vendues dans un magasin antillais devraient donc être parfaites. Les patates sucrées plus jaunes, originaires du Moyen-Orient, donneront toutefois d'aussi bons résultats.

INGRÉDIENTS
1 kg de patates sucrées
1 œuf battu
45 g / 3 c. à table de beurre
150 g / 3/4 tasse de sucre brun foncé
5 g / 1 c. à thé rase de sel
5 g / 1 c. à thé de cannelle moulue / 1 bâton de cannelle écrasé
température du four: 180 °C / 350 °F / Gaz 4

PRÉPARATION
♦ Dans une casserole remplie d'eau légèrement salée, faire bouillir les patates sucrées jusqu'à ce qu'elles soient bien cuites.
♦ Réduire les patates sucrées cuites en purée.
♦ Ajouter l'œuf battu et bien mélanger en incorporant tous les autres ingrédients.
♦ Verser le mélange dans un moule peu profond bien graissé.
♦ Cuire pendant une heure.
♦ Couper en carrés tandis que c'est encore chaud.

Confiture aux dattes

INGRÉDIENTS
environ 1 kg / 3 tasses de dattes dénoyautées
725 ml / 3 1/4 tasses d'eau
1 kg / 4 tasses de sucre à confiture
5 g / 1 c. à thé de cannelle
5 g / 1 c. à thé de muscade
zeste râpé et jus de 1 citron
25 g / 2 c. à table de beurre non salé

PRÉPARATION
♦ Amener les dattes et l'eau à ébullition. Laisser mijoter doucement pendant 10 minutes.
♦ Ajouter le reste des ingrédients et continuer à cuire, en remuant constamment.
♦ Quand le mélange est épais et homogène, retirer du feu.
♦ Verser dans des contenants chauds stérilisés, puis fermer hermétiquement.

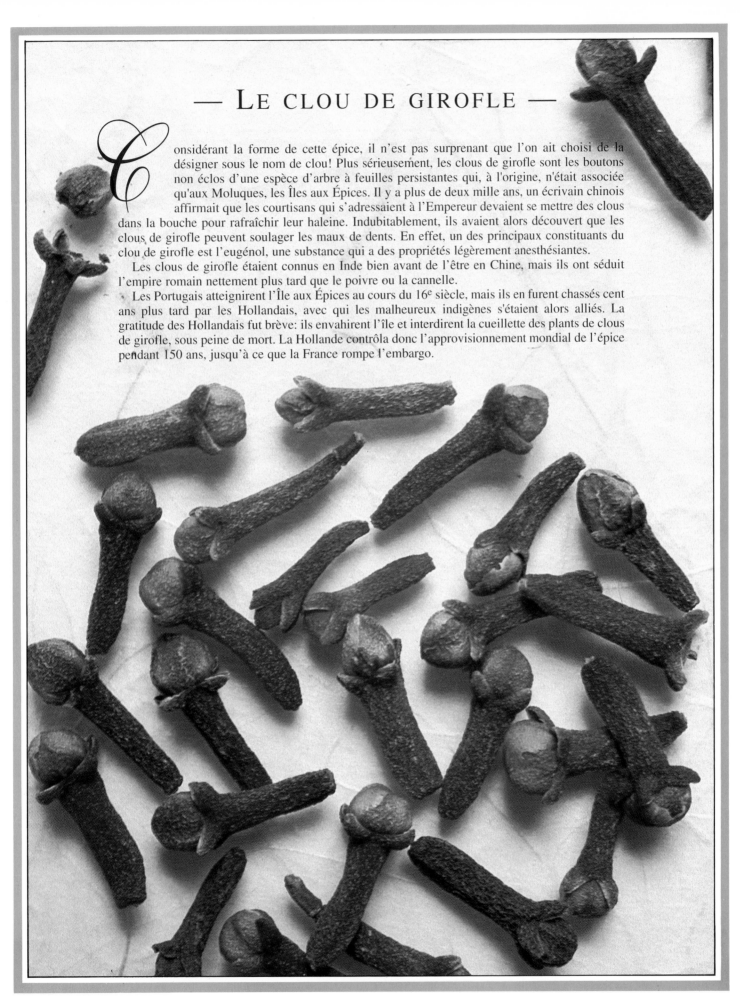

— LE CLOU DE GIROFLE —

Considérant la forme de cette épice, il n'est pas surprenant que l'on ait choisi de la désigner sous le nom de clou! Plus sérieusement, les clous de girofle sont les boutons non éclos d'une espèce d'arbre à feuilles persistantes qui, à l'origine, n'était associée qu'aux Moluques, les Îles aux Épices. Il y a plus de deux mille ans, un écrivain chinois affirmait que les courtisans qui s'adressaient à l'Empereur devaient se mettre des clous dans la bouche pour rafraîchir leur haleine. Indubitablement, ils avaient alors découvert que les clous de girofle peuvent soulager les maux de dents. En effet, un des principaux constituants du clou de girofle est l'eugénol, une substance qui a des propriétés légèrement anesthésiantes.

Les clous de girofle étaient connus en Inde bien avant de l'être en Chine, mais ils ont séduit l'empire romain nettement plus tard que le poivre ou la cannelle.

Les Portugais atteignirent l'Île aux Épices au cours du 16e siècle, mais ils en furent chassés cent ans plus tard par les Hollandais, avec qui les malheureux indigènes s'étaient alors alliés. La gratitude des Hollandais fut brève: ils envahirent l'île et interdirent la cueillette des plants de clous de girofle, sous peine de mort. La Hollande contrôla donc l'approvisionnement mondial de l'épice pendant 150 ans, jusqu'à ce que la France rompe l'embargo.

— LE CLOU DE GIROFLE —

Gnocchi

4-6 PORTIONS

INGRÉDIENTS
3 clous de girofle
1 oignon moyen
2 feuilles de laurier
tiges de persil (du persil haché)
1 l / 4 1/2 tasses de lait
100 g / 2/3 tasse de semoule
100 g / 1 tasse de cheddar râpé
50 g / 1/2 tasse de parmesan râpé
15 g / 1 c. à table de persil frais haché
sel et poivre noir au goût
1 œuf
farine de matzo
huile de tournesol pour la friture

PRÉPARATION
♦ Insérer les clous de girofle dans l'oignon.
♦ Mettre l'oignon, les feuilles de laurier et les tiges de persil dans une casserole, avec le lait. Faire chauffer jusqu'à ce que le lait soit presque bouillant.
♦ Retirer du feu et laisser infuser pendant 20 minutes.
♦ Passer, et faire de nouveau chauffer le lait.
♦ Saupoudrer de semoule, en remuant constamment. Cuire à feu doux, jusqu'à ce que le mélange soit assez épais.
♦ Retirer du feu. Incorporer les fromages et le persil haché. Saler et poivrer au goût.
♦ Étendre le mélange sur une assiette à dîner mouillée et réfrigérer pendant 2 heures.
♦ Couper en 8 morceaux; enrober avec l'œuf battu et la farine de matzo.
♦ Faire frire jusqu'à ce que les morceaux soient de couleur brun doré.

Servir avec une salade croquante.

— LE CLOU DE GIROFLE —

Les habitants des Moluques, le lieu d'origine des clous de girofle, entretenaient une relation mystique avec leurs girofliers. Ces derniers leur procuraient certes un moyen de subsistance en leur permettant de cultiver un produit qu'ils pouvaient vendre aux commerçants arabes et indonésiens. Mais bien plus, les arbres étaient considérés comme un membre de la famille. Un nouveau giroflier était planté chaque fois qu'un enfant venait au monde. Imaginez le traumatisme que les Hollandais leur ont causé en détruisant des dizaines de milliers de girofliers pour s'assurer un monopole dans le commerce international du clou de girofle. Finalement, l'embargo des Hollandais fut rompu par un Français qui portait le nom inusité, mais très approprié, de Pierre Poivre!

Les girofliers croissent maintenant en abondance à Zanzibar, ainsi qu'à Madagascar et dans l'île de Grenade.

Les clous de girofle poussent encore et toujours dans les Moluques, qui font actuellement partie de l'Indonésie moderne. Toutefois, les Indonésiens n'en mangent plus qu'une très petite quantité, ils préfèrent plutôt les fumer sous forme de cigarettes crépitantes qu'ils appellent *kretek*.

Jambon au four

INGRÉDIENTS
1 jambon
150 g / 3/4 tasse de miel
150 g / 3/4 tasse de sucre brun
3 clous de girofle par petits carrés de jambon
température du four: 170°C / 325 °F / Gaz 3

PRÉPARATION
♦ Faire tremper le jambon pendant 12 heures dans un grand bol, puis égoutter.
♦ Enlever le surplus de gras et faire cuire le jambon au four, sans le couvrir, en allouant 20 minutes par 400 g de jambon.
♦ Une demi-heure avant que le jambon soit prêt, le retirer du four. À l'aide d'un couteau bien aiguisé, enlever la couenne et découper le jambon en carrés.
♦ Mélanger le miel et le sucre brun; badigeonner la surface du jambon avec ce mélange.
♦ Planter un clou dans chacun des carrés découpés.
♦ Remettre le jambon au four et cuire pendant encore 30 minutes.

Gâteau au citron et aux clous de girofle

INGRÉDIENTS
100 g / 1/2 tasse de beurre
75 g / 1/3 tasse de sucre roux
2 œufs
125 g / 1 1/4 tasse de farine de blé entier fine
5 g / 1 c. à thé de poudre à pâte
jus et zeste râpé d'un citron
1,2 g / 1/4 c. à thé de clous de girofle moulus
30 g / 2 c. à table de crème au citron
50 g / 2 c. à table de sucre granulé
température du four: 180 °C / 350°F / Gaz 4

PRÉPARATION
♦ Réduire le beurre et le sucre en crème.
♦ Battre les œufs ensemble.
♦ Tamiser ensemble la farine et la poudre à pâte; bien mélanger. Ajouter l'œuf battu et le zeste de citron, et incorporer graduellement dans le beurre et le sucre en crème.
♦ Saupoudrer de clous de girofle moulus.
♦ Ajouter la crème au citron et mélanger soigneusement.
♦ Mettre le mélange dans un moule à pain graissé et enfariné, et cuire au four pendant une heure.
♦ Dissoudre le sucre dans le jus de citron et verser le tout sur le gâteau après avoir retiré celui-ci du four.
♦ Laisser refroidir le gâteau et démouler.

Veau aux clous de girofle

4 PORTIONS

INGRÉDIENTS
800 g de restes de rôti de veau
poivre noir frais
200 g / 2 tasses de fromage Jarlsberg râpé
10 g / 2 c. à thé de moutarde française
2 g / 1/3 c. à thé de clous de girofle moulus
100 ml / 1/2 tasse de crème à fouetter
température du four: 200 °C / 400 °F / Gaz 6

PRÉPARATION
♦ Couper la viande en morceaux de 0,5 cm d'épaisseur et la mettre dans un plat bien graissé allant au four.
♦ Saupoudrer de poivre moulu au goût.
♦ Mélanger le fromage, la moutarde, les clous de girofle et la crème à fouetter.
♦ Étendre le mélange uniformément sur la viande.
♦ Cuire au four pendant 6 minutes.
♦ Faire griller jusqu'à ce que la viande prenne une couleur brun doré, en faisant attention de ne pas la faire brûler. Servir immédiatement.

— Le clou de girofle —

Kitichree

INGRÉDIENTS

100 g / 1/2 tasse de lentilles
50 g / 4 c. à table de beurre clarifié
1 oignon moyen finement haché
5 g / 1 c. à thé de graines de cumin
1 bâton de cannelle de 5 cm
5 clous de girofle
1,25 g / 1/4 c. à thé de curcuma
2 gousses de cardamome
200 g / 1 tasse de riz Basmati, lavé et égoutté
sel au goût

PRÉPARATION

♦ Faire tremper les lentilles pendant 30 minutes.
♦ Faire chauffer la matière grasse et y faire frire l'oignon doucement. Mettre de côté.
♦ Ajouter les lentilles et les épices à la matière grasse chaude.
♦ Cuire pendant 5 minutes, en remuant constamment.
♦ Ajouter le riz. Continuer de remuer jusqu'à ce que le riz commence à coller à la casserole.
♦ Ajouter suffisamment d'eau pour recouvrir le mélange de riz d'environ 2,5 cm de liquide. Saler.
♦ Amener à ébullition et laisser mijoter jusqu'à ce que le riz soit cuit et l'eau absorbée.
♦ Mettre le riz dans un plat de service et garnir avec les oignons frits.

— La coriandre —

Le nom coriandre est dérivé du grec *koros*, lequel signifie punaise ou punaise des lits. Le terme évoque l'odeur quelque peu fétide que dégage le fruit non mûr de la plante, une odeur qui devient très agréable quand le fruit est mûr. La coriandre est en fait une plante utile, parce qu'aussi bien ses feuilles que ses graines sont largement utilisées. Les Chinois ne se distinguent pas par la variété d'herbes qu'ils utilisent en cuisine, mais ils sont très friands des feuilles de coriandre. Les petites taches vertes sont si populaires qu'on les surnomme parfois "laitue chinoise".

La plante pousse un peu partout dans le monde, mais seules les graines ont une importance commerciale. Les principaux exportateurs de l'épice sont la Russie, la Roumanie, la Bulgarie et le Maroc.

Il faut noter qu'à plusieurs époques et dans des cultures extrêmement diverses, la coriandre a souvent été considérée comme un philtre d'amour ou un aphrodisiaque: soyez donc prudent!

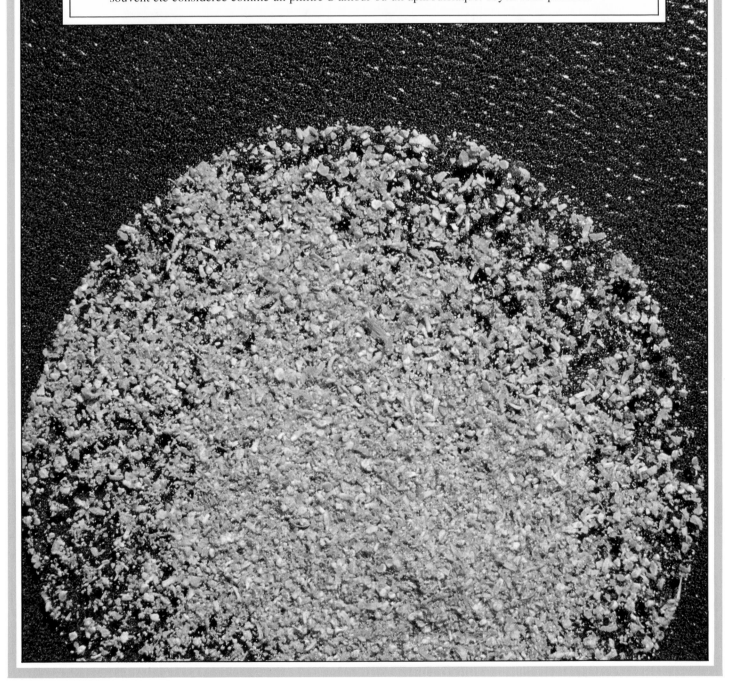

— LA CORIANDRE —

Pommes de terre nouvelles
à la coriandre fraîche

4 PORTIONS

INGRÉDIENTS
1 kg de petites pommes de terre nouvelles
50 g / 4 c. à table de beurre
4 ciboules (échalotes)
1 botte de coriandre fraîche finement hachée
sel et poivre au goût

PRÉPARATION
♦ Faire bouillir les pommes de terre jusqu'à ce qu'elles soient tendres, égoutter et garder au chaud.
♦ Faire fondre le beurre dans la casserole rincée.
♦ Faire revenir rapidement les ciboules dans le beurre, puis ajouter la coriandre.
♦ Remettre les pommes de terre dans la casserole et bien mélanger. Saler et poivrer.

— LA CORIANDRE —

Chiche-Kebab

4 PORTIONS

INGRÉDIENTS
1 œuf
400 g / 2 tasses de bœuf finement émincé (haché)
5 g / 1 c. à thé de graines de coriandre moulues
2,5 g / 1/2 c. à thé de poudre de chili
2,5 g / 1/2 c. à thé de cumin
2,5 g / 1/2 c. à thé de Garam Masala (voir page 124)
2 gousses d'ail écrasées
sel au goût
1 oignon passé au mélangeur pour le réduire en pâte
chapelure (facultatif)
30 ml / 2 c. à table d'huile

GARNITURE
1 citron
1 oignon
1 tomate

PRÉPARATION
♦ Trancher le citron en rondelles et enlever les noyaux.
♦ Trancher l'oignon en rondelles.
♦ Peler la tomate, la trancher et réserver le tout.
♦ Mélanger l'œuf légèrement battu et le bœuf dans un bol.
♦ Ajouter les épices, le sel et la pâte d'oignon au bœuf; si nécessaire, utiliser de la chapelure pour raffermir ou lier le mélange.
♦ Huiler les doigts et les brochettes.
♦ Enrouler la viande autour des brochettes.
♦ Badigeonner la viande d'huile et cuire sous le gril (ou grilloir) à feu modéré, jusqu'à ce que la viande soit uniformément brunie.
♦ Servir avec la garniture de citron, d'oignon et de tomate.

Masoor Dal

4 PORTIONS

INGRÉDIENTS
150 g / 2/3 tasse de lentilles rouges
1 oignon moyen, finement haché
2,5 g / 1/2 c. à thé de poudre de chili
5 g / 1 c. à thé de graines de coriandre moulues
25 g / 5 c. à thé beurre clarifié
5 g / 1 c. à thé de zeera (cumin moulu)
1 pincée de curcuma
feuilles de coriandre hachées
1/2 piment vert haché

PRÉPARATION
♦ Laver soigneusement les lentilles.
♦ Mettre les lentilles, la moitié de l'oignon, la poudre de chili et la coriandre moulue dans une grande casserole remplie d'eau et amener à ébullition. Laisser mijoter doucement jusqu'à ce que les lentilles soient cuites. Enlever l'écume de temps en temps.
♦ Entre-temps, faire chauffer le beurre et faire sauter le reste de l'oignon avec le zeera et le curcuma.
♦ Ajouter l'oignon frit aux lentilles, en prenant soin de ne pas faire d'éclaboussures de matière grasse.
♦ Garnir de feuilles de coriandre et de piment.

Ratatouille

4 PORTIONS

INGRÉDIENTS
5 tomates
2 aubergines
sel
1 gros poivron vert
5 courgettes
45 ml / 3 c. à table d'huile d'olive
2 oignons hachés
2 gousses d'ail écrasées
1 goutte de sauce tabasco
10 graines de coriandre

PRÉPARATION
♦ Peler et hacher les tomates.
♦ Couper les aubergines en tranches et les saupoudrer de sel. Les placer dans une passoire pour laisser dégorger.
♦ Trancher les poivrons, dont le cœur et les pépins auront été préalablement enlevés.
♦ Trancher les courgettes.
♦ Faire chauffer l'huile; y faire cuire les oignons et l'ail.
♦ Laver les aubergines et les assécher avec des essuie-tout.
♦ Ajouter tous les légumes, ainsi que les assaisonnements, à l'oignon et à l'ail.
♦ Ajouter la sauce tabasco et les graines de coriandre.
Couvrir et laisser mijoter pendant 40 minutes.

— LA CORIANDRE —

Salade de haricots épicée

6 PORTIONS

INGRÉDIENTS
75 ml / 1/3 tasse d'huile d'olive
37 ml / 1 1/4 c. à table de vinaigre de vin
1,25 g / 1/4 c. à thé de graines de coriandre
1,25 g / 1/4 c. à thé de cumin fraîchement moulu
1,25 g / 1/4 c. à thé de poudre de chili
1 gousse d'ail écrasée
200 g / 1 tasse de haricots rouges cuits
1/2 concombre pelé et coupé en morceaux

PRÉPARATION
♦ Mélanger l'huile d'olive, le vinaigre et les épices.
♦ Verser le mélange sur les haricots fraîchement cuits et encore chauds.
♦ Ajouter le concombre et bien mélanger.
♦ Laisser les haricots et les concombres mariner dans la vinaigrette.
♦ Avant de servir, enlever l'excès de liquide.

— Le cumin —

Les restaurants indiens ont tellement proliféré ces dernières années qu'il faudrait avoir vécu sur la lune pour ne pas connaître le poulet Tandoori. Un "tandoor", vous le savez sans doute, est un four d'argile très chaud en forme de vase dont le fond est couvert de charbons de bois fumants. Le poulet cuit dans ce type de four semble toujours piquant et épicé car il prend une couleur délicieusement rouge. Pour les lecteurs qui, par hasard, ont un tandoor dans leur cuisine: bonne chance! La recette suivante vous plaira, c'est sûr!

Pour les personnes qui ne possèdent pas de tandoor (la grande majorité, à notre avis), vous verrez que la recette est un véritable délice, au goût très proche du mets original.

Il est parfaitement acceptable, et assez courant pour les cuisiniers indiens, de faire rôtir des poissons dans leurs fours. Nous avons donc choisi une variété que vous pourrez vous procurer facilement et qui est non seulement délicieuse, mais de texture parfaite pour ce type de cuisson.

Cette recette, cependant, ne rendra pas le poisson "tandoori" rouge. En fait, nous avons remarqué que d'autres recettes au tandoor font appel à la coloration des aliments pour accomplir cette tâche honorable et ancienne. Toutefois, nous ne croyons pas que cette pratique soit absolument nécessaire.

Notons que nous avons mangé dans certains restaurants soi-disant "authentiques" qui, nous n'en doutons pas, utilisent ce truc de coloration, alors même que nous les soupçonnons fort d'utiliser un four à micro-ondes. Mais il ne pourrait pas s'agir de votre restaurant préféré, n'est-ce pas?

Le cumin est une épice de prédilection dans les cuisines grecque, arabe et turque, soient les pays qui longent la Méditerranée. Il accompagne particulièrement bien les aubergines. Le cumin, de même que les autres épices qui entrent dans la composition de cette recette, devrait être chauffé dans une poêle à frire avec un peu d'huile pour être aromatisé avant l'utilisation.

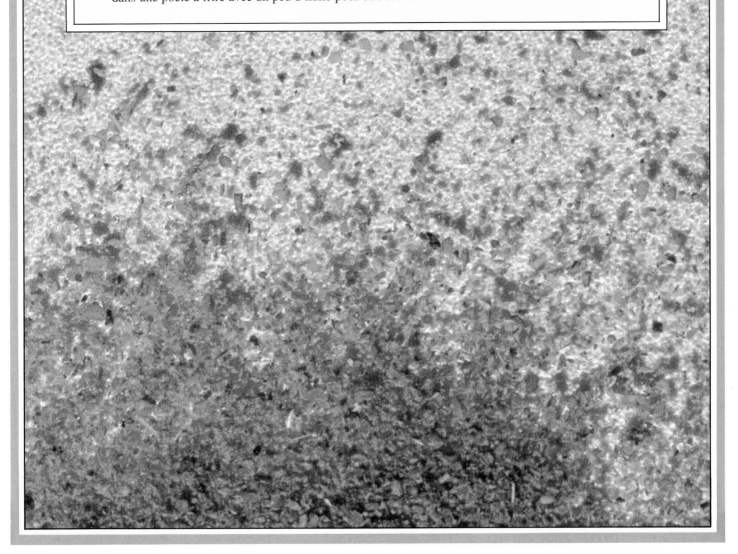

49

Sole Tandoori

INGRÉDIENTS

10 g / 2 c. à thé de cumin
2,5 g / 1/2 c. à thé de curcuma
2,5 g / 1/2 c. à thé de clous de girofle
2,5 g / 1/2 c. à thé de graines de cardamome
2,5 g / 1/2 c. à thé de poudre de chili
2,5 g / 1/2 c. à thé de poivre noir moulu
2,5 g / 1/2 c. à thé de graines de moutarde blanche
1 oignon moyen haché
2 gousses d'ail finement hachées
225 ml / 1 tasse de yogourt
6 filets de sole (sans la peau) ou un autre poisson blanc
température du four: 180 °C / 350 °F / Gaz 4

PRÉPARATION

♦ Moudre les épices ensemble, puis les mélanger avec l'oignon et l'ail.
♦ Incorporer le mélange dans le yogourt.
♦ Faire mariner le poisson dans le mélange au yogourt pendant 6 heures.
♦ Retirer le poisson de la marinade, l'envelopper dans du papier d'aluminium et le faire cuire pendant 30 minutes.

VARIANTE

Cette recette peut être utilisée pour le poulet. Doubler la quantité de yogourt, faire mariner pendant 12 heures et cuire pendant une heure.

— LE CUMIN —

Falafel

4 PORTIONS

Voici une version israélienne des falafels. Les Égyptiens les préparent avec des féveroles blanches à petits grains séchées plutôt qu'avec des pois chiches.

INGRÉDIENTS
200 g / 1 1/2 tasse de pois chiches
1 gros oignon finement haché
1 gousse d'ail écrasée
15 g / 1 c. à table de persil finement haché
5 g / 1 c. à thé de cumin
5 g / 1 c. à thé de coriandre moulue
5 g / 1 c. à thé de poudre à pâte
sel au goût
une pincée de poivre de Cayenne
farine de blé entier, pour y rouler le mélange
huile végétale, pour la friture

PRÉPARATION
♦ Faire tremper les pois toute la nuit dans l'eau froide. Égoutter et rincer soigneusement. Faire cuire dans l'eau non salée pendant 1 heure, ou jusqu'à ce que les pois soient tendres.
♦ Égoutter les pois chiches et les passer dans un moulin à légumes.
♦ Ajouter les autres ingrédients et passer encore une fois dans le moulin à légumes.
♦ Prendre des cuillerées du mélange et façonner de petits gâteaux plats. Laisser reposer pendant 15 minutes.
♦ Rouler dans la farine de blé entier et faire frire dans l'huile très chaude, jusqu'à ce que les falafels soient brunis des deux côtés.

Servir avec du pain, des salades et de la *Crème de tahini*.

Crème de tahini

4 PORTIONS

Cette recette peut être préparée dans un mélangeur, ce qui donnera une pâte plus homogène. En ajoutant 115 g / 1/2 tasse de yogourt, ce qui change le goût, on obtient une texture plus crémeuse.

INGRÉDIENTS
2 gousses d'ail
sel au goût
jus de 2 citrons
125 ml / 2/3 tasse de pâte de tahini
2,5 g / 1/2 c. à thé de cumin
30 g / 2 c. à table de persil haché pour garnir

PRÉPARATION
♦ Écraser l'ail dans le sel et mélanger avec un peu de jus de citron dans un grand bol.
♦ Ajouter la pâte de tahini, bien mélanger, puis ajouter le reste du jus de citron; battre vigoureusement.
♦ Assaisonner de sel et de cumin.
♦ Si le mélange est trop épais, ajouter quelques gouttes d'eau.
♦ Garnir de persil.

— Le cumin —

Soupe aux lentilles

4 PORTIONS

INGRÉDIENTS
200 g / 2 tasses de lentilles rouges cassées
1,5 l / 6 3/4 tasses de bouillon
1 gros oignon pelé et haché
1 branche de céleri hachée
1 carotte hachée
25 g / 2 c. à table de beurre
3 tranches de pain brun, en cubes
huile végétale pour la friture
4 gousses d'ail écrasées
10 g / 2 c. à thé de cumin
sel au goût
poivre fraîchement moulu

PRÉPARATION
♦ Laver et rincer les lentilles plusieurs fois. Les placer dans une casserole avec le bouillon, l'oignon, le céleri et la carotte.
♦ Amener à ébullition et laisser mijoter pendant 1/2 heure, jusqu'à ce que les lentilles soient cuites.
♦ Passer au mélangeur et ajouter le beurre.
♦ Faire frire le pain dans l'huile pour faire des croûtons. Quand ceux-ci prennent une couleur brun doré, ajouter l'ail écrasé.
♦ Réchauffer la soupe passée au mélangeur, ajouter le cumin, saler et poivrer. Laisser mijoter pendant 5 minutes.
♦ Ajouter les croûtons et servir.

Malheur à vous,
scribes et Pharisiens hypocrites!
Parce que vous payez la dîme de la menthe,
de l'aneth et du cumin, et que vous laissez ce
qu'il y a de plus important dans la loi:
le droit, la miséricorde et la fidélité...
Matthieu 23:23

Faisons fi de cette condamnation sévère, laissons les questions de droit ou de jugement à des ouvrages plus savants et parlons donc plutôt de cumin! Il est vrai toutefois que le cumin est mentionné assez fréquemment dans la Bible: c'est une épice très ancienne et très noble. Ses origines se situent dans la vallée du Nil, mais il pousse maintenant à peu près partout. Les Romains de l'Antiquité utilisaient le cumin comme condiment, un peu comme nous utilisons le poivre aujourd'hui. Au Moyen Âge, les Européens considéraient l'épice indispensable. De nos jours, il semble que les graines de carvi, moins âcres, ont davantage la cote. Précisons que les cuisines de l'Europe et de l'Inde médiévales étaient assez semblables: ce ne fut qu'avec l'avènement du four ménager dans les cuisines européennes que l'alimentation a véritablement changé, de même que plusieurs des ingrédients utilisés.

Les Indiens sont restés plus attachés aux traditions anciennes et le cumin est donc demeuré aussi populaire qu'autrefois. Il est tout simplement indispensable à la préparation de la plupart des currys. En fait, c'est l'un des ingrédients qui fait que le curry goûte... le curry!

Le Babagannouch n'est ni européen, ni indien; c'est une trouvaille du Moyen-Orient, le lieu d'origine du cumin.

Offrez-vous un régal, saupoudrez un peu de cumin sur du fromage cottage ou dans un sandwich au fromage grillé.

— Le cumin —

Babagannouch

INGRÉDIENTS
3 aubergines
4 gousses d'ail
30 ml / 2 c. à table de tahini
2,5 g / 1/2 c. à thé de graines de cumin
2,5 g / 1/2 c. à thé de poudre de chili
jus de 3 citrons
sel au goût
persil haché
olives

PRÉPARATION

♦ Faire griller les aubergines jusqu'à ce que la peau noircisse. Les laisser refroidir légèrement et enlever le plus possible de peau carbonisée.

♦ Mélanger tous les ingrédients.

♦ Garnir de persil et d'olives.

Servir chaud avec du pain pita.

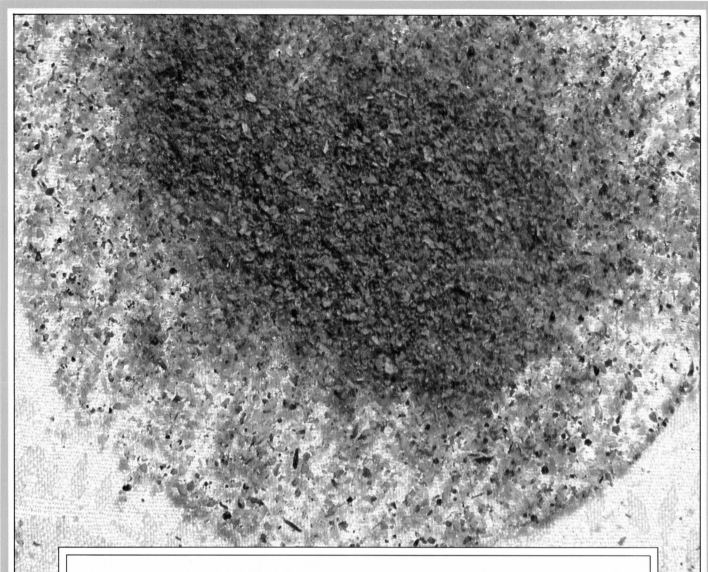

— LE CURRY —

L a question de l'authenticité du curry est l'une des grandes impertinences de notre époque. Le curry existe, il s'est répandu dans le monde entier; il est fondé sur les traditions de la cuisine indienne; et… oui, le plat connu sous le nom de curry a probablement été inventé par les Européens. Le mot "curry" vient d'un mot tamoul *keri*, mais les experts ne semblent pas s'entendre sur sa signification. Certains disent que *keri* signifie marché ou bazar, tandis que d'autres soutiennent qu'il s'applique à n'importe quelle préparation au yogourt. Voilà pour les experts!

Nous savons que les Anglais avaient beaucoup de difficulté à nourrir leurs troupes indigènes en Inde. Les Musulmans ne mangeaient pas de porc, alors que quelques Hindous mangeaient de la viande et d'autres étaient végétariens. Il fallait trouver une sauce facile à adapter pour assaisonner le riz ou le pain de base mangé par les troupes. C'est ainsi qu'a pris naissance le curry, sauf qu'avec le temps, la sauce a pris de l'importance et a fini par prendre le nom du plat.

L'idée du curry s'est répandue partout. Le curry de chevreau est le plat national de la Jamaïque et les Japonais mangent maintenant à peu près n'importe quoi au curry.

À force d'expériences, d'essais et d'erreurs, les combinaisons d'épices et, parmi elles, la part que représentent celles qui sont généralement considérées comme du curry, semblent avoir atteint l'équilibre souhaitable pour toucher les papilles gustatives de tout un chacun, partout dans le monde.

Prenez la peine de moudre votre propre poudre de curry et de faire des expériences avec des combinaisons d'épices. C'est facile et amusant.

— LE CURRY —

Porc au curry

INGRÉDIENTS

15 ml / 1 c. à table de pulpe de tamarin
50 g / 1/4 tasse de beurre ou d'huile
2 oignons moyens finement tranchés
3 gousses d'ail hachées
15 ml / 1 c. à table de vinaigre
400 g de porc en cubes
3 g / 3/4 c. à thé de Poudre de curry (voir page 124)
225 ml / 1 tasse d'eau
5 g / 1 c. à thé de sel (ou au goût)

PRÉPARATION

♦ Faire tremper le tamarin dans la moitié de l'eau pendant 10 minutes, puis presser et exprimer le jus.
♦ Faire chauffer la matière grasse et sauter l'oignon.
♦ Ajouter le tamarin, l'ail et le vinaigre. Faire sauter.
♦ Ajouter la viande et cuire jusqu'à ce qu'elle brunisse.
♦ Ajouter la poudre de curry et cuire pendant encore 3 minutes.
♦ Ajouter l'eau, saler et laisser mijoter jusqu'à ce que le porc soit tendre.

— LE CURRY —

Poulet au curry

4 PORTIONS

INGRÉDIENTS

1 poulet moyen, coupé en morceaux, sans la peau
2 gousses d'ail hachées
5 g / 1 c. à thé de curcuma
1 oignon finement haché
4 bananes, si possible très vertes
2 tranches de gingembre finement hachées
2 feuilles de laurier
jus de citron frais, au goût
450 ml / 2 tasses d'eau
15 g / 1 c. à table de Poudre de curry (voir page 124)
fécule de maïs

PRÉPARATION

♦ Piquer les morceaux de poulet avec une fourchette et les enrober d'un mélange d'ail et de curcuma.
♦ Faire frire la moitié de l'oignon jusqu'à ce qu'il soit tendre; ajouter les morceaux de poulet et cuire jusqu'à ce qu'il soit doux et bruni.
♦ Couper chaque banane en deux dans le sens de la longueur.
♦ Saupoudrer les bananes de gingembre haché et les faire frire dans une poêle à revêtement anti-adhésif, avec une feuille de laurier.
♦ Couvrir de jus de citron.
♦ Servir la sauce au curry séparément.

SAUCE AU CURRY

♦ Faire frire le reste de l'oignon. Quand celui-ci est tendre, ajouter la poudre de curry et cuire pendant 5 minutes en remuant.
♦ Ajouter l'eau et l'autre feuille de laurier.
♦ Cuire jusqu'à ce que la sauce épaississe; si nécessaire, ajouter un peu de fécule de maïs.

Kalan

6 PORTIONS

Cette recette originaire du sud de l'Inde devrait être préparée 24 heures avant d'être servie. Ce mets est très liquide et accompagne bien le riz.

INGRÉDIENTS

150 g / 1 3/4 tasse de noix de coco séchée (râpée) ou fraîche
900 ml / 4 1/2 tasses de babeurre
2 grosses courgettes
100 ml / 1/2 tasse d'eau
30 ml / 2 c. à table d'huile de sésame
5 g / 1 c. à thé de graines de moutarde
15 g / 1 c. à table d'oignons émincés
2,5 g / 1/2 c. à thé de Poudre de curry (voir page 124)
sel au goût

PRÉPARATION

♦ Mélanger la noix de coco et le babeurre ensemble, puis réserver.
♦ Couper les courgettes en cubes de 1 cm, saler et laisser dégorger pendant 30 minutes.
♦ Laver et égoutter les courgettes. Les faire cuire dans l'eau à feu doux, jusqu'à ce qu'elles soient tendres. Retirer du feu et enlever l'eau.
♦ Ajouter le mélange au babeurre et amener à ébullition. Fermer le feu et couvrir.
♦ Dans une petite casserole couverte, faire chauffer l'huile jusqu'à ce qu'elle soit très chaude. Ajouter les graines de moutarde et les faire griller sans les faire brûler.
♦ Ajouter l'oignon émincé et la poudre de curry.
♦ Verser ce mélange sur les courgettes.

Croquettes de tofu au curry

8 PORTIONS

INGRÉDIENTS

1/2 oignon finement haché
1 branche de céleri finement hachée
1 poivron vert finement haché
200 g de tofu
30 g / 2 c. à table de farine de matzo
sel au goût
30 ml / 2 c. à table de sauce de soja
10 g / 2 c. à thé de Poudre de curry (voir page 124)
1 œuf battu
germe de blé
30 ml / 2 c. à table d'huile de maïs
température du four: 180 °C / 350 °F / Gaz 4

PRÉPARATION

♦ Faire sauter l'oignon, le céleri et le poivron vert, jusqu'à ce qu'ils soient tendres.
♦ Égoutter le tofu dans une passoire et l'écraser avec une fourchette.
♦ Mélanger avec la farine de matzos, le sel et la sauce de soja.
♦ Ajouter les légumes sautés, la poudre de curry et enfin l'œuf. Mélanger le tout.
♦ Diviser le mélange en petites croquettes et rouler celles-ci dans le germe de blé.
♦ Faire brunir les croquettes dans l'huile dans une poêle à frire chaude ou les faire cuire au four pendant 30 minutes, jusqu'à ce qu'elles soient brunies.

— LE FENUGREC —

*S*i vous avez déjà fait la connaissance de cette épice plutôt versatile, il y a fort à parier que c'était en dégustant un curry indien. Le fenugrec a un goût semblable au céleri, tout en s'approchant de celui du curry. Comme plusieurs des épices populaires dans le sous-continent, le fenugrec a d'abord été cultivé au Moyen-Orient. En fait, son nom signifie "foin grec". Les Grecs et les Romains l'estimaient beaucoup, à la fois comme assaisonnement et comme médicament. De nos jours, le fenugrec pousse facilement dans des climats plus tempérés, et il est de plus en plus populaire dans les jardins. Les feuilles, à saveur de curry, peuvent être très amères, mais les pousses donnent d'excellentes salades.

Les graines de fenugrec sont très petites et dures, ce qui les rend difficiles à moudre. Heureusement, une petite quantité est généralement suffisante. À noter que les graines doivent être réchauffées avant d'être moulues.

L'épice, riche en protéine, est membre de la famille des légumineuses à grain. En Afrique de l'Est, les graines de fenugrec sont cuites et mangées comme des haricots: elles sont particulièrement recommandées aux femmes enceintes.

Enfin, dans diverses cultures très éloignées dans le temps et l'espace, le fenugrec a été utilisé, sinon comme remède à la calvitie, du moins comme moyen de la prévenir.

— LE FENUGREC —

Dhansak Parsi

INGRÉDIENTS

400 g / 1 3/4 tasse de lentilles
400 g de bœuf maigre
2 gros oignons finement hachés
2 aubergines grossièrement hachées
1 poivron vert finement haché
2 pommes de terre pelées et grossièrement hachées
400 g / 1 3/4 tasse d'épinards lavés et hachés
25 g / 5 c. à thé de beurre clarifié
5 gousses d'ail hachées
15 g / 1 c. à table de graines de fenugrec
15 g / 1 c. à table de cumin
5 g / 1 c. à thé de chili
15 g / 1 c. à table de graines de coriandre
5 g / 1 c. à thé de menthe
sel

PRÉPARATION

♦ Laver les lentilles et les mettre dans une casserole avec le bœuf.
♦ Ajouter les légumes, sauf l'ail, et couvrir d'eau.
♦ Amener à ébullition et laisser mijoter jusqu'à ce que les légumes soient cuits.
♦ Retirer la viande, puis passer les légumes et les lentilles au mélangeur.
♦ Faire chauffer le beurre et faire sauter l'ail, le fenugrec, le cumin, le chili, la coriandre et la menthe.
♦ Ajouter les lentilles et la viande, bien mélanger et amener lentement à ébullition; saler au goût.

Servir avec du riz et une *Salade d'oignons* (voir page 34).

Salade de chicorée et de noix

4 PORTIONS

INGRÉDIENTS

3 pommes de chicorée
1 pied de céleri
3 oignons finement hachés
25 g / 5 c. à thé de graines de fenugrec germées
1 boîte de pousses de moutarde / cresson
50 g / 1/3 tasse de noix hachées
150 ml / 2/3 tasse de vinaigrette

PRÉPARATION

♦ Laver et trancher la chicorée et le céleri.
♦ Les mélanger avec les oignons et les autres ingrédients.
♦ Verser la vinaigrette au dernier moment, touiller et servir.

Pommes de terre au fenugrec

4 PORTIONS

INGRÉDIENTS

400 g de pommes de terre nouvelles
2,5 g / 1/2 c. à thé de curcuma
30 ml / 2 c. à table d'huile d'olive
1 pincée de poivre de Cayenne
350 g / 4 1/2 tasses de pousses de fenugrec
sel au goût

PRÉPARATION

♦ Faire bouillir les pommes de terre pelées, jusqu'à ce qu'elles soient cuites, mais pas trop tendres.
♦ Les égoutter, les laisser refroidir et les couper grossièrement.
♦ Faire sauter les pommes de terre et le curcuma dans l'huile.
♦ Ajouter le poivre de Cayenne, le fenugrec et le sel. Couvrir la casserole et laisser mijoter pendant 5 minutes.

Curry aux crevettes de Goa

4 PORTIONS

INGRÉDIENTS

30 g / 2 c. à table de noix de coco séchée (râpée)
8 chilis séchés
30 g / 2 c. à table de graines de coriandre
20 graines de fenugrec
5 g / 1 c. à thé de graines de moutarde
8 gousses d'ail écrasées
sel au goût
5 g / 1 c. à thé de graines de cumin
5 g / 1 c. à thé de curcuma moulu
5 g / 1 c. à thé de gingembre frais
1 oignon moyen haché
50 g / 5 c. à table de beurre
250 ml / 1 tasse de lait de coco
30 ml / 2 c. à table d'eau de tamarin
(voir Porc au curry, page 55)
400 g / 3 tasses de crevettes
5 g / 1 c. à thé de paprika
5 g / 1 c. à thé de Garam Masala (voir page 124)

PRÉPARATION

♦ Faire tremper la noix de coco séchée dans 30 ml / 2 c. à table d'eau chaude.

♦ Passer au mélangeur la noix de coco, les chilis, les graines de coriandre, les graines de fenugrec, les graines de moutarde, l'ail, le sel, les graines de cumin, le curcuma et le gingembre.

♦ Faire sauter l'oignon dans la matière grasse, jusqu'à ce qu'il soit transparent.

♦ Ajouter le mélange d'épices et cuire jusqu'à ce que les oignons soient parfumés, puis ajouter la noix de coco et l'eau de tamarin. Faire mijoter pendant 5 minutes.

♦ Ajouter les crevettes, le paprika et le *Garam Masala*. Remuer jusqu'à ce que le jus épaississe.

— LE GARAM MASALA —

S'il vous arrive de chercher la bagarre, commencez une discussion avec un cuisinier indien sur les mérites relatifs de la poudre de curry et du garam masala. Voyez-vous, dans toute cuisine indienne moyenne, vous ne trouverez probablement pas de poudre de curry, mais plutôt du garam masala. Le curry résulte d'une déformation de la cuisine indienne destinée à satisfaire l'Empire Britannique. Le garam masala est aussi indien que… le garam masala. C'est un mélange d'épices dont le nom signifie "les épices qui réchauffent". Il n'y a pas de recette consacrée de garam masala. En fait, chaque famille indienne moud sa propre sélection d'épices, selon une combinaison connue d'elle seule. De plus, la recette de garam masala d'une famille indienne peut changer selon la saison, l'état de santé de ses membres et les aliments qui doivent être préparés.

Il est rare que le garam masala soit la seule épice utilisée dans la préparation d'un plat; elle est généralement ajoutée vers la fin de la cuisson, pour donner davantage de vie au mets. Les poudres de curry, par contre, contiennent des épices piquantes comme le chili. Elles sont généralement utilisées tout au long de la cuisson.

Certains auteurs de livres de recettes occidentaux ont prétendu que le garam masala, bien qu'il soit différent de la poudre de curry, lui a servi d'inspiration. Certains cuisiniers indiens refusent d'adhérer à cette idée.

Quand on prépare le garam masala, il faut toujours faire chauffer les épices avant de les moudre, puis les conserver dans un contenant hermétique que l'on range dans un endroit frais et sec.

— LE GARAM MASALA —

Samosas

INGRÉDIENTS

GARNITURE

50 g / 4 tasses de beurre clarifié
1 oignon haché
5 g / 1 c. à thé de graines de coriandre moulues
5 g / 1 c. à thé de racine de gingembre fraîche, hachée
200 g / 2 tasses de pommes de terre bouillies et coupées en
dés, mais pas trop tendres
100 g / 1/2 tasse de pois
5 g / 1 c. à thé de Garam Masala (voir page 124)
sel au goût
30 ml / 2 c. à table d'eau

PÂTE

200 g / 2 1/4 tasses de farine tout usage
sel au goût
25 g / 5 c. à thé de beurre clarifié
30 ml / 4 c. à table de yogourt
huile végétale pour la friture

PRÉPARATION

♦ Pour préparer la garniture, faire chauffer le beurre et sauter les oignons jusqu'à ce qu'ils soient tendres. Puis, ajouter la coriandre et le gingembre.

♦ Ajouter les pommes de terre et les pois; cuire à feu doux pendant 5 minutes.

♦ Ajouter le Garam Masala et le sel au goût; cuire jusqu'à ce que l'humidité soit évaporée.

♦ Pour faire la pâte, tamiser la farine et le sel ensemble, puis ajouter le beurre fondu et le yogourt.

♦ Pétrir de manière à former une pâte molle, couvrir d'un linge et laisser reposer pendant 35 minutes.

♦ Pétrir de nouveau, puis diviser la pâte en petites boules rondes.

♦ Rouler chaque boule sur une surface enfarinée, de façon à obtenir des ronds de pâtes de la taille de soucoupes. Couper chaque rond en deux.

♦ Humecter les bords droits avec de l'eau et façonner les moitiés de ronds en cônes. Placer 10 g / 2 c. à thé de garniture dans chaque moitié de rond, humecter les autres bords, et bien sceller.

♦ Cuire à grande friture jusqu'à ce que les samosas soient dorés.

Koftas

Les koftas peuvent être servis comme hors-d'œuvre ou comme plat principal avec du riz au safran; ils sont également très bons avec la *Sauce au curry* (voir page 56).

INGRÉDIENTS

1/2 poivron vert épépiné et finement haché
1 oignon finement haché
400 g / 2 tasses de bœuf, d'agneau, de poulet
ou de porc haché
30 g / 2 c. à table de yogourt
30 g / 2 c. à table de feuilles de cresson hachées
5 g / 1 c. à thé de Garam Masala (voir page 124)
huile végétale pour la friture

PRÉPARATION

♦ Mélanger tous les ingrédients soigneusement.
♦ Façonner le mélange en petites boules de la taille de noix.
♦ Faire frire les boulettes dans l'huile très chaude.

— LE GARAM MASALA —

Poulet au Garam Masala

4 PORTIONS

INGRÉDIENTS

200 g / 1 tasse d'oignons hachés
1 c. à table de gingembre frais
2 gousses d'ail
45 g / 3 c. à table de beurre clarifié
5 g / 1 c. à thé de graines de cumin
5 g / 1 c. à thé de coriandre moulue
5 g / 1 c. à thé de curcuma
5 g / 1 c. à thé de poudre de chili
5 g / 1 c. à thé de sel
100 g / 1/2 tasse de tomates fraîches, pelées et hachées
1 poulet moyen, en morceaux et sans la peau
30 g / 2 c. à table de graines de coriandre hachées
5 g / 1 c. à thé de Garam Masala (voir page 124)
500 ml / 1 3/4 tasse d'eau

PRÉPARATION

♦ Passer l'oignon, le gingembre et l'ail au mélangeur, de façon à obtenir une pâte homogène.

♦ Faire chauffer le beurre dans une casserole à fond épais. Ajouter le mélange d'oignon. Cuire, en remuant fréquemment, jusqu'à ce que le mélange soit brun doré. Ajouter 15 ml / 1 c. à thé d'eau, davantage si nécessaire, pour empêcher le mélange de coller.

♦ Ajouter les graines de cumin, la coriandre moulue, le curcuma, la poudre de chili et le sel. Bien mélanger.

♦ Ajouter les tomates. Cuire jusqu'à ce que les tomates soient réduites en purée. Encore une fois, ajouter un peu d'eau si le mélange colle à la casserole.

♦ Incorporer délicatement les morceaux de poulet. Cuire, en remuant toujours, jusqu'à ce que le poulet devienne brun doré et ait absorbé la saveur des épices.

♦ Ajouter l'eau pour faire la sauce.

♦ Couvrir et cuire à feu doux pendant 35 minutes ou jusqu'à ce que le poulet soit tendre. Ne pas attendre que la chair se détache des os.

♦ Saupoudrer de coriandre hachée et de Garam Masala. Couvrir et cuire encore 10 minutes.

— LE GARAM MASALA —

Concombre Raita

INGRÉDIENTS
1 concombre pelé et haché
5 g / 1 c. à thé de sel
345 g / 1 1/2 tasse de yogourt nature
2 chilis verts hachés
2,5 g / 1/2 c. à thé de poudre de chili
2,5 g / 1/2 c. à thé de Garam Masala (voir page 124)

PRÉPARATION
♦ Saupoudrer le concombre de sel et laisser dégorger pendant une heure.
♦ Égoutter.
♦ Ajouter le concombre et les chilis au yogourt.
♦ Verser le mélange dans un plat. Saupoudrer de poudre de chili et de Garam Masala.

Servir froid.

— L'AIL —

*A*llium sativum… Au cours des deux dernières décennies, son étoile a monté plus vite et plus haut que celle de n'importe quelle autre épice. Les graines de l'ail domestique sont stériles. Comme il faut prendre une gousse de son bulbe et la planter dans le sol pour cultiver la plante, l'ail dépend des êtres humains et, inversement, nous dépendons sans doute de l'ail. Après tout, la Bible nous apprend que les enfants d'Israël, perdus dans le désert, supplièrent Moïse de les ramener en Égypte et à l'esclavage pour de l'ail! À la pleine lune, si vous voyez une chauve-souris à votre fenêtre, quelle épice souhaiterez-vous avoir autour du cou? Du fenugrec? Non, de l'ail!

Présentement, aux États-Unis, 90 pour cent de la production de l'ail s'effectue en Californie. Or, il existe dans cette région une organisation dont le seul but est de rendre hommage à cette épice formidable. Chaque année, au moment de la récolte, en Californie, mais aussi dans le sud de la France, sont organisées toutes sortes de fêtes de l'ail, où les cultivateurs et les amateurs se rencontrent pour faire bombance.

Il y a quelques décennies seulement, l'ail était considéré comme une épice de paysans. En mettre plus qu'un léger soupçon dans un plat était considéré comme un acte très vulgaire. Aujourd'hui, dans quelques-uns des restaurants les plus réputés, qu'on se le dise, il est de bon ton d'empester l'ail.

Il existe aux États-Unis un célèbre arrêt de jurisprudence (célèbre du moins parmi les amateurs d'ail), dans lequel un restaurant bien connu pour son utilisation généreuse de l'ail fut menacé de fermeture par des voisins mécontents qui avaient l'ail en aversion. La Cour a jugé que l'odeur de l'ail, et autres odeurs de cuisson, étaient bénéfiques pour la civilisation. Et dire que certaines personnes considèrent les Américains comme des Philistins… Eh bien, les Philistins aussi étaient de grands consommateurs d'ail.

— L'AIL —

Moules à l'ail

6 PORTIONS

INGRÉDIENTS
1 1/2 kg / 12 tasses de moules
30 ml / 2 c. à table d'huile d'olive
1 oignon moyen tranché
7 gousses d'ail hachées
4 branches de céleri hachées
225 ml / 1 tasse de vin blanc sec
30 g / 2 c. à table de persil haché
poivre noir fraîchement moulu

PRÉPARATION
♦ Laver et frotter les moules. Écarter toutes celles qui sont ouvertes ou craquées.
♦ Faire chauffer l'huile et y frire l'oignon, l'ail et le céleri.
♦ Ajouter le vin blanc et le persil.
♦ Augmenter le feu et verser les moules.
♦ Dès que les coquilles ouvrent, servir avec du pain à l'ail.

— L'AIL —

Le mot anglais pour ail, *garlic*, vient de deux mots scandinaves ou vieux norrois, "gar" qui signifie lance, et "leac" qui signifie herbe. Manifestement, le mot faisait allusion à la tige longue et mince de la plante qui, incidemment, la rendait facile à tresser. Pour une raison ou pour une autre, l'épice a toujours eu une signification à la fois mystique et religieuse. Dans la tradition islamique, quand Satan fut chassé de l'Éden, des oignons sortirent de son pied droit et de l'ail de son pied gauche; par contre, selon une vieille légende tibétaine, la plante vient des restes du corps brisé d'un dieu qui était tombé sur la terre.

Nous savons que les Égyptiens utilisaient l'ail autrefois pour purifier leurs maisons. Peut-être l'ail a-t-il des propriétés antiseptiques? Avant la découverte des antibiotiques, les soldats imbibaient leurs bandages dans le jus d'ail pour panser leurs blessures.

Jusqu'à tout récemment, les gens ne faisaient pas de distinction entre les aliments et les médicaments. En d'autres termes, les aliments servaient de médicaments. Toutes les épices, et bien sûr de nombreuses herbes, furent considérées au cours des siècles comme ayant diverses propriétés médicinales bénéfiques.

Nous ne pouvons pas nous prononcer là-dessus, mais de nos jours, l'utilisation de l'ail à des fins médicinales compte des partisans de plus en plus nombreux. En particulier, l'ail contiendrait un agent susceptible de contribuer à l'équilibre du cholestérol du corps humain, et l'on sait que le cholestérol est le principal casse-pieds des gourmets.

Maintenant que l'ail est à la mode, le monde ne serait-il pas parfait si les gens qui aiment en manger pouvaient être assurés que les dangers inhérents à leur passion peuvent être atténués par leur passion elle-même?

Aïoli

4-5 PORTIONS

L'aïoli est une mayonnaise qui se mange beaucoup en Provence et en Espagne. On la sert avec des légumes crus, comme des carottes, du céleri, des poivrons verts et des pommes de terre en robe des champs, ainsi qu'avec du poisson poché, des viandes froides, bref, tout ce qui vous passe par la tête. Compter 2 grosses gousses d'ail par personne.

INGRÉDIENTS

POUR 275 ML / 1 TASSE
10 grosses gousses d'ail
2 jaunes d'œufs frais, légèrement battus
250 ml / 1 1/4 tasse d'huile d'olive
jus de citron
1 pincée de sel
poivre blanc

PRÉPARATION

♦ Peler et écraser l'ail, à la main, et le réduire en pâte.
♦ Ajouter les jaunes d'œufs et mélanger jusqu'à l'obtention d'une pâte homogène.
♦ Ajouter l'huile d'olive goutte à goutte en battant constamment. Ajouter l'huile en plus grandes quantités à mesure que le mélange épaissit.
♦ Si l'aïoli est trop épais, ajouter un peu de jus de citron.
♦ Saler et poivrer au goût.

Pétoncles

4 PORTIONS

Vérifier que les pétoncles ont une chair blanc-lait et une laitance rosée. Les pétoncles doivent être très frais. Détacher les pétoncles de leurs coquilles à l'aide d'un couteau. Couper et jeter la partie postérieure de la tête. Laver les pétoncles, les égoutter délicatement, puis bien les assécher.

INGRÉDIENTS

12 petits pétoncles (ou 8 gros)
jus de citron
sel et poivre au goût
4 gousses d'ail moyennes écrasées
15 ml / 1 c. à table d'huile d'olive
farine de blé entier
1-2 œufs

PRÉPARATION

♦ Préparer les pétoncles selon les instructions ci-dessus.
♦ Les arroser de jus de citron, saler et poivrer, puis ajouter l'ail et l'huile d'olive.
♦ Laisser reposer pendant 30 minutes.
♦ Rouler les pétoncles un à un dans la farine.
♦ Les tremper tour à tour dans l'œuf et les rouler à nouveau dans la farine.
♦ Les cuire à grande friture jusqu'à ce qu'ils soient bruns et croustillants.

— L'AIL —

Soupe à l'oignon et à l'ail

6 PORTIONS

INGRÉDIENTS
huile végétale pour la friture
1 gros oignon tranché
3 bulbes d'ail finement hachés
15 g / 1 c. à table de farine tout usage
2,5 ml / 1/2 c. à thé de moutarde de Dijon
1 l / 4 1/2 tasses de bouillon
225 ml / 1 tasse de vin blanc sec
sel et poivre au goût
un peu de beurre
6 tranches de baguette
6 tranches de fromage gruyère, d'environ 25 g chacune

PRÉPARATION

♦ Faire chauffer l'huile dans une casserole. Ajouter les oignons, suivis peu après de l'ail. Cuire à feu doux.
♦ Ajouter la farine.
♦ Ajouter la moutarde de Dijon, le bouillon et le vin, en remuant constamment.
♦ Laisser mijoter jusqu'à ce que les oignons soient tendres. Ajouter le sel et le poivre.
♦ Beurrer le pain et couvrir du fromage.
♦ Verser la soupe dans six bols individuels allant au four.
♦ Déposer une tranche de pain dans chaque bol et faire griller jusqu'à ce que le fromage brunisse et bouillonne.

— L'AIL —

Pommes de terre à l'ail

6 PORTIONS

INGRÉDIENTS
30 gousses d'ail
50 g / 4 c. à table de beurre non salé, mou
25 g / 4 c. à table de farine
250 ml / 1 tasse de lait
sel
poivre blanc fraîchement moulu
1 kg de pommes de terre
60 ml / 4 c. à table de crème à fouetter
persil haché

PRÉPARATION

♦ Après avoir pelé l'ail, le faire cuire dans la moitié du beurre, dans une casserole couverte, à feu doux, jusqu'à ce qu'il soit tendre, soit environ 20 minutes. Ne pas le faire brunir.

♦ Incorporer la farine, et remuer pendant 1 minute. Au même moment, faire bouillir le lait dans une autre casserole.

♦ Retirer l'ail du feu et ajouter le lait et les assaisonnements. Remettre sur le feu et faire bouillir en remuant constamment.

♦ Réduire le mélange en purée dans un mélangeur, puis faire cuire pendant encore 2 minutes.

♦ Peler et trancher les pommes de terre, les faire cuire à l'eau bouillante, puis les réduire en purée.

♦ Réchauffer la purée d'ail en remuant à l'aide d'une cuillère de bois. Retirer du feu et incorporer le reste du beurre ramolli. Ajouter le sel et le poivre au goût.

♦ Incorporer la purée d'ail chaude dans les pommes de terre, puis ajouter la crème petit à petit.

♦ Ajouter le persil et des assaisonnements si désiré. Servir immédiatement.

Servir avec du porc ou du saucisson.

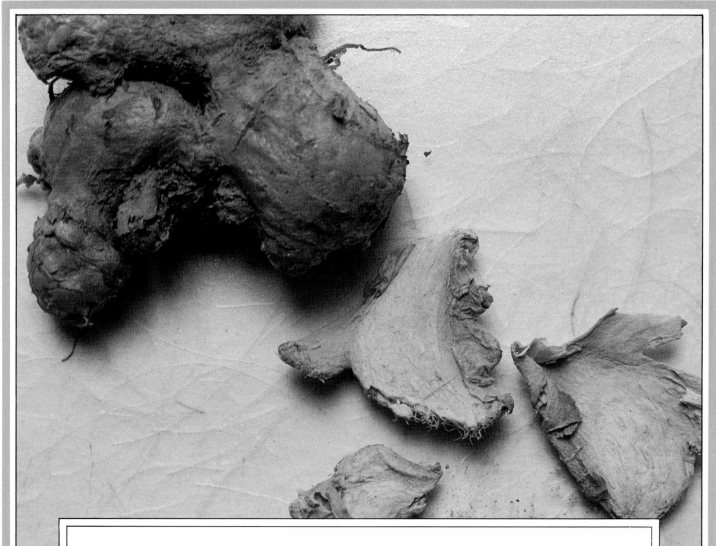

— LE GINGEMBRE —

*D*e nos jours on peut acheter des rhizomes de gingembre entiers dans à peu près tous les marchés. N'hésitez pas à acheter et à utiliser du gingembre frais, parce que celui-ci a un goût spécial qui se perd rapidement une fois qu'il a été moulu. Si vous devez avoir du gingembre moulu, conservez-le dans un contenant hermétique et rangez-le dans un endroit frais, sombre et sec. Le gingembre est l'une des plus anciennes épices. En fait, le gingembre est si vieux que son lieu d'origine est incertain; on croit cependant qu'il est originaire de l'Asie du Sud-Est. Aujourd'hui, la plante ne pousse pas à l'état sauvage; comme l'ail, elle a besoin de l'aide de l'homme pour se propager.

Il est surprenant qu'une plante si tropicale ait toujours été abondamment répandue en Occident, en particulier en Europe de l'Ouest. Évidemment, l'on sait que le gingembre est l'un des principaux assaisonnements de la cuisine chinoise. L'épice est même mentionnée dans les manuscrits orientaux les plus anciens.

Les Romains de l'Antiquité avaient une telle prédilection pour le gingembre qu'ils le traitaient comme nous traitons aujourd'hui le tabac et l'alcool: ils le taxaient lourdement. Les Romains, et les Grecs avant eux, utilisaient cette épice dans les gâteaux et les pâtisseries.

Il semble que cette utilisation particulière du gingembre divise l'Orient et l'Occident. Les Occidentaux utilisent l'épice dans la pâtisserie, tandis que les Orientaux s'en servent pour assaisonner la viande et le poisson. Cependant, l'utilisation du gingembre dans les boissons comme le soda gingembre, la bière de gingembre et le vin de gingembre est de plus en plus répandue.

A une certaine époque, toutes les épices et de nombreuses herbes ont été vendues pour leurs vertus aphrodisiaques. C'était sans doute pour permettre à quelques personnes de gagner des dollars ou des dinars selon la période historique ou le continent. Cependant, les associations entre plaisir et gingembre ont été si nombreuses et si insistantes que l'on ne peut s'empêcher de s'interroger…

— LE GINGEMBRE —

Mousse de gingembre et de rhubarbe

INGRÉDIENTS
25 g / 2 c. à table de beurre
400 g de rhubarbe, coupée en morceaux
10 g / 2 c. à table de sucre brun
5 g / 1 c. à thé de gingembre moulu
100 ml / 1/2 tasse de crème à fouetter

PRÉPARATION
♦ Faire fondre le beurre dans une casserole.
♦ Ajouter la rhubarbe, le sucre et le gingembre.
♦ Faire mijoter jusqu'à ce que la rhubarbe soit tendre.
♦ Ajouter la crème et passer au mélangeur.
♦ Refroidir et servir.

— LE GINGEMBRE —

Sauce au sirop de gingembre

INGRÉDIENTS
250 ml / 1 tasse d'eau
1 pincée de gingembre moulu
15 ml / 1 c. à table de sirop de maïs
5 g / 1 c. à thé de fécule de maïs

PRÉPARATION
♦ Faire bouillir l'eau, puis ajouter lentement le gingembre et le sirop.
♦ Mélanger la fécule de maïs avec un peu d'eau; incorporer dans le mélange pour l'épaissir, en remuant jusqu'à ce que la consistance soit homogène. Servir chaud ou froid.

Pain au gingembre et à l'orange

INGRÉDIENTS
100 ml / 1/2 tasse de lait
5 g / 1 c. à thé de bicarbonate de soude
30 ml / 2 c. à table d'eau chaude
300 g / 2 3/4 tasses de farine tout usage
5 g / 1 c. à thé de crème de tartre
75 g / 1/3 tasse de sucre brun foncé
100 g / 1/2 tasse de margarine
100 g / 1/3 tasse de mélasse
100 ml / 1/3 tasse de sirop de maïs
10 g / 2 c. à thé rase de cannelle
10 g / 2 c. à thé rase de gingembre moulu
1 pincée de poivre de Cayenne
3 œufs battus
zeste râpé et jus d'une orange
température du four: 180 °C / 350 °F / Gaz 4

PRÉPARATION
♦ Réchauffer le lait à la température du corps, puis le mélanger avec le bicarbonate de soude et l'eau chaude.
♦ Tamiser la farine et la crème de tartre. Réduire ensemble en crème le sucre et la margarine.
♦ Ajouter la mélasse et le sirop, et battre pendant 1 minute. Incorporer les épices.
♦ Ajouter graduellement la farine et la crème de tartre, en alternant avec les œufs battus. Battre soigneusement.
♦ Ajouter le zeste avec le jus de l'orange, ainsi que le mélange de lait et de bicarbonate de soude.
♦ Bien mélanger le tout et verser dans un grand moule à pain graissé.
♦ Cuire au four pendant approximativement une heure.

Cocktail au melon

4 PORTIONS

INGRÉDIENTS
1 melon mûr coupé en dés
100 ml / 1/2 tasse de sirop de gingembre
15 ml / 1 c. à table de jus de citron frais
5 ml / 1 c. à thé de kirsch (facultatif)
*la proportion idéale est composée de 3 mesures de melon
pour 1 mesure de gingembre*

PRÉPARATION
♦ Placer le melon dans un bol; le couvrir du mélange de sirop de gingembre, de jus de citron et de kirsch.
♦ Laisser reposer pendant 1/2 heure, jusqu'à ce que les saveurs se mélangent.
♦ Réfrigérer et servir très froid.

Boisson à l'ananas

INGRÉDIENTS
pelure d'un ananas
1 racine de gingembre fraîche
775 ml / 3 tasses d'eau
200 g / 1 tasse comble de sucre blanc
5 ml / 1 c. à thé de jus de lime

PRÉPARATION
♦ Laver et enlever la pelure de l'ananas. La mettre dans un bol et réserver.
♦ Râper le gingembre et l'ajouter à la pelure d'ananas.
♦ Faire bouillir l'eau et la verser sur l'ananas et le gingembre. Laisser infuser pendant 30 minutes.
♦ Passer le liquide avant d'ajouter le sucre et le jus de lime.
♦ Bien mélanger dans un mélangeur.
♦ Réfrigérer le liquide et servir très froid avec de la glace.

Utiliser la chair de l'ananas dans une salade de fruits.

— LE GINGEMBRE —

Nez, nez, joli nez rouge,
Qui t'a donné ce joli nez rouge?
La muscade et le gingembre, la cannelle et le clou,
Ils m'ont donné ce joli nez rouge.
Francis Beaumont (1584-1616)

De tous les Européens, les Anglais ont toujours été les plus friands de gingembre. Henry VIII en mangeait d'énormes quantités, soit pour se protéger contre la peste, soit tout simplement parce qu'il en raffolait. La cour élisabéthaine adorait le gingembre, bien qu'un demi-kilo de l'épice coûtait légèrement plus qu'un mouton. En fait, à ce prix, c'était une affaire. Il y avait des moutons partout, même aux portes du palais, mais le gingembre devait être importé de l'Inde. Aujourd'hui, l'Inde est toujours le plus grand producteur et exportateur de gingembre, mais l'épice est tout de même cultivée ailleurs.

Les Espagnols ont pris des rhizomes et les ont plantés en Jamaïque dès 1547. Le gingembre de la Jamaïque est maintenant considéré comme le meilleur au monde. Les Portugais en ont planté le long de la côte africaine, de sorte que de nos jours, la Sierra Leone et le Nigéria en produisent, de même que d'autres pays plus lointains comme la Thaïlande, Taiwan, l'Australie et la Chine elle-même.

Le fait d'enlever l'écorce extérieure peut modifier le goût. Par exemple, le gingembre de couleur pâle de la Jamaïque, une fois pelé, est extrêmement aromatique, tandis que les variétés africaines foncées et ridées ont un goût plus âpre.

Les Anglais, avec les Américains, semblent encore être les principaux consommateurs de l'épice. Toutefois, l'Arabie Saoudite en importe des quantités qui excèdent considérablement la taille de sa population.

À noter que les gens, en Orient, ont longtemps cru que le gingembre constituait une protection contre les tigres. Finalement, ça fonctionne! Nous avons effectivement du gingembre dans notre armoire et, indéniablement, nous n'avons pas vu de tigres depuis des mois.

Bhaji aux épinards

INGRÉDIENTS
800 g d'épinards
50 g / 4 c. à table de beurre clarifié
1 oignon moyen tranché
4 chilis rouges séchés
5 g / 1 c. à thé de graines de cumin
10 g / 2 c. à thé de gingembre frais finement haché
sel au goût

PRÉPARATION
♦ Laver les épinards et enlever les queues.
♦ Faire chauffer le beurre, et faire frire les oignons jusqu'à ce qu'ils soient transparents.
♦ Ajouter les chilis et les graines de cumin, et faire frire pendant 2 ou 3 minutes.
♦ Ajouter les épinards et le gingembre; cuire couvert pendant 5 minutes.
♦ Saler et cuire jusqu'à ce que le liquide soit pratiquement tout absorbé.
♦ Couvrir de nouveau et cuire à feu doux jusqu'à ce que les épinards soient tendres.

— LE RAIFORT —

*E*n France, près de la frontière allemande, on sert avec les viandes une sauce au raifort et à la crème fraîche qui y est très populaire. Il est tout à fait possible que le raifort soit originaire d'Allemagne et qu'il se soit répandu vers l'est. Généralement, c'est la racine du raifort que l'on utilise et son goût peut être puissant au point de causer de la douleur. Nous disons "généralement", parce que le raifort pousse abondamment dans de nombreux jardins. Ses jeunes feuilles, larges, plates et brillantes, font une salade extraordinaire, quoique plutôt épicée.

L'action chimique de l'épice est presque identique à celle de sa proche parente, la moutarde. L'eau provoque une réaction enzymatique qui libère une saveur puissante.

La racine peut être utilisée dans plusieurs types de préparations, généralement les sauces ou les condiments. Cela s'explique par le fait que le raifort, comme la moutarde, perd son goût piquant à la cuisson.

On trouve des préparations commerciales dans les supermarchés, mais la plupart des variétés en bouteilles sont plutôt insipides.

Il est très facile de préparer une sauce au raifort; il suffit de moudre la racine et de la mélanger avec du vinaigre ou de la crème. Certaines personnes préfèrent ajouter un peu de jus de betteraves pour donner à la sauce une couleur rouge.

Il est parfois difficile de trouver du raifort frais, même dans les grandes villes. Cependant, on en trouve toujours en abondance dans les quartiers juifs au début du printemps, parce que c'est "l'herbe amère" la plus populaire dans la cérémonie de Pâque, le Sedar.

— Le raifort —

Omelette au fromage et au raifort

2 PORTIONS

INGRÉDIENTS
4 œufs
15 ml / 1 c. à table d'eau
sel et poivre au goût
un peu de beurre
50 g / 1/2 tasse de cheddar râpé
5 g / 1 c. à thé de raifort frais, finement haché ou râpé

PRÉPARATION
♦ Mélanger les œufs, l'eau, le sel et le poivre.
♦ Faire chauffer une poêle à frire et y mettre un peu de beurre.
♦ Quand la poêle est très chaude, verser le mélange d'œufs.
♦ Un peu avant la fin de la cuisson, saupoudrer de fromage et de raifort.

Servir avec une salade de tomates.

— LE RAIFORT —

Sauce aux pommes et au raifort

INGRÉDIENTS

3 pommes Granny Smith pelées et évidées
100 ml / 1/2 tasse d'eau
jus de 1/2 citron
1 bâton de cannelle
50 g / 1/4 tasse de sucre granulé
45 g / 3 c. à table de raifort fraîchement moulu

PRÉPARATION

♦ Couper les pommes en 8 morceaux. Les mettre dans une casserole avec l'eau et le jus de citron.
♦ Ajouter le bâton de cannelle, amener à ébullition, puis laisser mijoter, jusqu'à ce que les pommes soient tendres, mais pas en bouillie.
♦ Ajouter le sucre. Faire cuire le mélange à feu moyen, en remuant constamment, jusqu'à ce que le sucre soit dissous.
♦ Laisser reposer pendant 1 heure, puis retirer le bâton de cannelle. Réfrigérer.
♦ Avant de servir, incorporer le raifort.

Cette sauce est délicieuse avec du porc froid.

Raifort et betteraves

INGRÉDIENTS

75 g / 5 c. à table de betteraves non cuites en purée
75 g / 5 c. à table de raifort fraîchement moulu
sel
poivre

PRÉPARATION

♦ Mélanger les ingrédients ensemble.
♦ Réfrigérer.

Servir avec du poisson grillé, du poisson poché et des plats de viande. La préparation se conserve une semaine.

Mayonnaise au raifort

INGRÉDIENTS

3 jaunes d'œufs
sel
2,5 g / 1/2 c. à thé de moutarde sèche
poivre noir, fraîchement moulu
225 ml / 1 tasse d'huile d'olive
5 ml / 1 c. à thé de jus de citron ou de vinaigre de vin blanc
45 g / 3 c. à table de raifort fraîchement moulu

PRÉPARATION

♦ Battre les jaunes d'œufs jusqu'à ce qu'ils soient épais, puis incorporer le sel, la moutarde et le poivre noir.
♦ Ajouter l'huile goutte à goutte, en remuant sans arrêt. Quand la mayonnaise épaissit et devient brillante, l'huile peut être ajoutée en filet.
♦ Incorporer le jus de citron ou le vinaigre de vin, au goût.
♦ Ajouter le raifort.

Salade de pommes de terre au raifort

4 PORTIONS

INGRÉDIENTS

1 kg de pommes de terre
mayonnaise au raifort (voir ci-dessus)
5 ml / 1 c. à thé de lait
persil

PRÉPARATION

♦ Peler les pommes de terre et les faire bouillir dans l'eau salée; les laisser refroidir, puis les couper en tranches épaisses.
♦ Si nécessaire délayer la mayonnaise avec un peu de lait.
♦ Couvrir les tranches de pommes de terre de mayonnaise, en faisant attention de ne pas briser les pommes de terre, et garnir de persil.

— LE MACIS —

Il me faut du safran pour donner de la couleur aux chaussons
de poire du gouverneur; du macis; des dattes?
Non, ça n'est pas sur ma note;
des noix muscades, sept; une racine ou deux de gingembre — mais ça
je puis demander qu'on me le donne — quatre livres de pruneaux,
et autant de raisins de Damas.
Le Conte d'hiver — William Shakespeare

Tout au long des 17e et 18e siècles, les Hollandais possédaient le monopole international du macis et de la muscade. On raconte que le siège social de Amsterdam a un jour ordonné au Gouverneur des colonies de l'Extrême-Orient de cultiver moins de muscade et plus de macis. La plupart des gens ignorent peut-être, comme lui, que le macis et la muscade font tous deux partie de la même plante. Le fruit du muscadier, qui ressemble à l'abricot, est un des grands ensembles de la nature. La coque extérieure fruitée n'est généralement pas conservée, mais on peut en faire une sucrerie.

L'amande centrale, qui est la muscade, est recouverte d'un testa dur ou tégument de la graine, qui est lui-même entouré d'une jolie arille semblable à un treillis charnu. Quand on la fait sécher au soleil, cette arille perd sa couleur saumon et devient rouille orangé; c'est l'épice quelque peu exotique que l'on connaît, le macis.

De nos jours, bien qu'il est utilisé couramment dans les pâtisseries, le macis sert surtout à épicer la viande. C'est l'épice de prédilection dans l'assaisonnement de la charcuterie française et on la trouve dans toutes les variétés de pâtés et de farces.

Si c'est absolument nécessaire, vous pouvez substituer la muscade au macis, mais prenez la peine d'essayer de trouver des brins de macis entiers. C'est une épice merveilleuse, élégante et très subtile qui vaut la peine d'être mieux connue.

— LE MACIS —

Croquettes de viande

4 PORTIONS

INGRÉDIENTS
400 g de bœuf haché
2 œufs
1 oignon moyen haché
1 grosse gousse d'ail finement hachée
1 pincée de romarin moulu
1 brin de macis, émietté entre les doigts
1 soupçon de sauce de soja
1 bonne cuillerée de poivre ou de Poivre de cuisine
(voir page 125) pour obtenir un goût plus relevé
farine de matzo fine
huile végétale pour la friture

PRÉPARATION
♦ Mélanger tous les ingrédients ensemble, sauf la farine de matzo et l'huile végétale.
♦ Façonner une douzaine de croquettes.
♦ Enrober les croquettes de farine de matzo.
♦ Faire chauffer l'huile végétale jusqu'à ce qu'elle soit très chaude.
♦ Faire cuire les croquettes jusqu'à ce qu'elles soient brunies des deux côtés.

— LE MACIS —

Purée de navets

4 PORTIONS

INGRÉDIENTS
1 kg de petits navets blancs
1 brin de macis
sel
poivre blanc fraîchement moulu
50 g / 2 c. à table de beurre non salé
50 ml / 1/4 tasse de crème
persil haché

PRÉPARATION
♦ Peler et trancher les navets.
♦ Faire cuire les navets dans l'eau bouillante salée jusqu'à ce qu'ils soient tendres; égoutter.
♦ Émietter le brin de macis délicatement entre les doigts.
♦ Passer les navets au mélangeur, et ajouter le sel, le poivre et le macis.
♦ Incorporer le beurre et la crème.
♦ Garnir de persil.

Sauce au pain

INGRÉDIENTS
2 clous de girofle
1 oignon
1 petit brin de macis
225 ml / 1 tasse de lait
50 g / 1 tasse de chapelure fraîche
25 g / 2 c. à table de beurre ou de margarine
sel et poivre au goût

PRÉPARATION
♦ Insérer les clous dans l'oignon.
♦ Mettre l'oignon et le brin de macis dans une casserole contenant le lait. Réchauffer doucement et amener presque au point d'ébullition.
♦ Laisser refroidir pendant 30 minutes.
♦ Égoutter, puis ajouter au liquide la chapelure, le beurre ou la margarine, le sel et le poivre, au goût.
♦ Réchauffer doucement en remuant constamment jusqu'à l'obtention d'une consistance homogène. Servir chaud.

Maquereau fumé et Sauce aux concombres

4 PORTIONS

INGRÉDIENTS
4 filets de maquereaux fumés, frais

SAUCE AUX CONCOMBRES
3 gros concombres fermes
1 gros oignon
sel fraîchement moulu
450 ml / 2 tasses de vinaigre de vin blanc
225 ml / 1 tasse de vin blanc
2 brins de macis
5 g / 1 c. à thé de grains de poivre
1/2 muscade râpée

PRÉPARATION
♦ Peler et trancher finement les concombres et l'oignon, pour ensuite les disposer dans un plat peu profond avec une poignée de sel. Laisser reposer pendant 12 heures.
♦ Faire cuire les tranches de concombre et d'oignon salées dans un chaudron à confiture pendant 30 minutes.
♦ Passer soigneusement pour retirer chaque goutte du liquide.
♦ Ajouter le reste des ingrédients à ce liquide et amener à ébullition dans une autre casserole. Laisser mijoter pendant 3 minutes.
♦ Passer le liquide, laisser refroidir et embouteiller.
♦ Verser la sauce sur les filets de maquereaux et servir froid.

— LA MOUTARDE —

L e jour où la moutarde rencontra le saucisson fut un grand moment de l'histoire des aliments. L'événement se produisit pour la première fois dans la Rome antique, où les cuisiniers utilisaient la moutarde sensiblement de la même façon que nous. L'Empire romain se divisa en plusieurs nations, qui suivirent toutes leur voie propre en ce qui a trait à l'utilisation de la moutarde. Les Français l'utilisent pour mettre un peu de joie dans leurs sauces fabuleuses. Les Allemands en enduisent encore leurs saucissons et les Anglais la trouvent indispensable pour rendre toute la saveur de leurs excellents rôtis et fromages. Les Chinois et les Japonais, qui ont eu la bonne idée de ne jamais faire partie de l'Empire romain, l'utilisent encore principalement pour préparer des trempettes qui brûlent la langue.

Poussant aisément sous des climats tempérés, la moutarde a été, parmi toutes les épices, celle qui était le plus à la portée des gens ordinaires, et ce pendant des siècles. C'est peut-être pour cela qu'elle reflète si bien les caractéristiques nationales.

Il y a deux types fondamentaux de graines de moutarde, bien que les amateurs de botanique puissent en identifier trois ou quatre, en plus d'innombrables sous-catégories; nous disions donc qu'il existe deux grandes catégories de base, les blanches et les brunes. Les graines blanches sont beaucoup moins piquantes, tandis que les graines brunes, plus petites, sont généralement plus aromatiques.

Quand les graines broyées entrent en contact avec l'eau, un enzyme spécial déclenche une glucoside interne, qui fait éclater la saveur piquante. La plupart des sauces à la moutarde se composent de graines broyées ou en poudre trempées dans un acide qui retarde cette action chimique. En fait, le mot "moutarde" vient de deux mots latins: *mustum* et *ardere*. *Mustum* signifie jus de raisin nouvellement fermenté, alors qu'*ardere* signifie brûler.

En prenant des graines blanches en poudre, en y ajoutant de la farine pour enlever le goût piquant et un peu de couleur pour que le mélange devienne jaune, et en mouillant le tout d'un peu de vinaigre, vous obtiendrez la menace jaune, la moutarde que les Américains mettent dans leurs *hot dogs* et *hamburgers*.

Les Européens, pour leur part, utilisent seulement des graines brunes dans leurs sauces, tandis que la moutarde anglaise, ce qui n'est pas étonnant, vient d'un mélange des deux.

— LA MOUTARDE —

Toasts au fromage

INGRÉDIENTS
4 tranches de pain
50 g / 4 c. à table de beurre
200 g / 1 3/4 tasse de cheddar râpé
50 ml / 1/4 tasse de bière forte (ale)
10 g / 2 c. à thé de moutarde anglaise maison
sel et poivre au goût

PRÉPARATION
♦ Faire griller le pain des deux côtés.
♦ Faire fondre le beurre dans un poêlon épais à feu doux.
♦ Ajouter le fromage et la bière en remuant constamment.
♦ Ajouter la moutarde, le sel et le poivre.
♦ Tartiner le pain du mélange au fromage, puis faire griller jusqu'à ce que le fromage soit brun et bouillonnant.

Si vous préférez obtenir un goût plus piquant, utilisez le *Poivre de cuisine* (voir page 125).

81

— LA MOUTARDE —

En Europe, dans les monastères, la moutarde a été préparée depuis des siècles avec du vin ou du vinaigre comme base acide. On raconte qu'un jeune génie eut une fois la brillante idée d'utiliser le jus très sûr de raisins cueillis verts, qu'on appelle le verjus, et que ce fut un succès immédiat. Cet événement important s'est produit en Bourgogne, dans la ville de Dijon, laquelle est devenue, comme tout le monde le sait, la capitale mondiale de la moutarde. Évidemment, de nos jours, quantité de combinaisons d'ingrédients sont utilisées dans la préparation des sauces de Dijon.

Parfois, les coques des graines sont conservées, parfois elles sont écartées. Souvent, d'autres épices sont ajoutées, comme le chili, le poivre ou le piment de la Jamaïque. Les bases elles-mêmes peuvent être entièrement composées de verjus ou d'un mélange de vin et de vinaigre. Les gens vont souvent en France pour suivre la route des vins, mais il serait probablement aussi agréable, pour le palais, de suivre la route des moutardes.

Par ailleurs, il ne faudrait pas oublier le rôle de l'Allemagne. Comme les Français, les Allemands utilisent uniquement les graines brunes, mais ils ajoutent fréquemment un peu de miel ou de sucre.

La moutarde en poudre, qu'il faut mélanger avec un peu d'eau une demi-heure avant le repas, est encore très populaire en Angleterre. Généralement, elle se compose d'un mélange de 80 pour cent de graines brunes et de 20 pour cent de graines blanches, avec un peu de farine et de colorant.

Contrairement à la plupart des autres épices, la moutarde représente un gros commerce. Les Canadiens, qui en sont les plus grands exportateurs au monde, en font la récolte avec une impressionnante combinaison d'outils.

La moutarde fut l'un des premiers produits à être vendu à l'aide de techniques de commercialisation de masse. De nos jours, on peut voir l'étiquette bleu et jaune de l'entreprise J. & J. Colman dans les coins les plus reculés du monde. Un des ancêtres Colman a un jour observé qu'il avait fait fortune avec "ce que les gens laissent sur les bords de leurs assiettes".

Incorporez toujours la moutarde vers la fin de la cuisson, sans quoi l'arôme disparaîtra littéralement sans laisser de traces.

Haricots verts sauce moutarde

4 PORTIONS

INGRÉDIENTS
45 ml / 3 c. à table d'huile d'olive
15 ml / 1 c. à table de vinaigre de vin blanc
5 g / 1 c. à thé de curcuma en poudre
1 pincée de poudre de chili
15 g / 1 c. à table de moutarde sèche
poivre noir fraîchement moulu au goût
400 g / 4 tasses de haricots verts cuits

PRÉPARATION
♦ Mélanger ensemble l'huile d'olive, le vinaigre de vin blanc et les épices.
♦ Ajouter les haricots verts et mélanger délicatement.
♦ Réfrigérer légèrement, pas trop, parce que le plat perdra de sa saveur.

Chair de crabe à la diable

2 PORTIONS

INGRÉDIENTS
1 crabe de grosseur moyenne, cuit
150 ml / 2/3 tasse de Sauce béchamel (voir page 121)
10 g / 2 c. à thé de chutney
10 g / 2 c. à thé de moutarde de Dijon
poivre de Cayenne
5 ml / 1 c. à thé de vinaigre de chili
sel au goût
chapelure de blé entier
1 jaune d'œuf cuit
température du four: 190 ˚C / 375 ˚F / Gaz 5

PRÉPARATION
♦ Retirer la chair du crabe. Conserver la chair des pinces, de même que la carapace principale, pour garnir.
♦ Préparer la Sauce béchamel et ajouter le chutney, la moutarde, le poivre de Cayenne, le vinaigre et le sel au goût.
♦ Ajouter la chair de crabe.
♦ Bien réchauffer, sans laisser bouillir.
♦ Nettoyer la carapace du crabe et y verser le mélange.
♦ Saupoudrer de chapelure de blé entier.
♦ Cuire au four pendant 15-20 minutes.
♦ Garnir du jaune d'œuf haché et des pinces de crabe, puis servir immédiatement.

Salade russe

INGRÉDIENTS

1 grosse pomme de terre pelée
1 petit chou-fleur
1 brocoli
2 carottes moyennes en dés
1 aubergine en dés
100 g / 1 tasse de haricots à filet, en dés
30 g / 2 c. à table de pois verts
4 branches de céleri en dés
6 ciboules (échalotes) finement hachées
15 g / 1 c. à table de ciboulette hachée
125 g / 1/2 tasse de Mayonnaise à la moutarde
(voir page 121)

PRÉPARATION

♦ Amener la pomme de terre à ébullition et laisser mijoter. Égoutter, laisser refroidir et couper en dés.

♦ Défaire le chou-fleur et le brocoli en bouquets. Cuire séparément dans l'eau salée jusqu'à ce qu'ils soient légèrement croustillants.

♦ Faire cuire les carottes, l'aubergine et les haricots séparément, dans l'eau bouillante salée, jusqu'à ce qu'ils soient légèrement croquants.

♦ Faire cuire les pois jusqu'à ce qu'ils soient tendres.

♦ Égoutter les légumes, les refroidir sous l'eau et les égoutter à nouveau. Il est important de faire cuire chaque lot séparément.

♦ Combiner tous les légumes. Ajouter les ciboules (échalotes), la ciboulette et la mayonnaise, puis touiller délicatement.

— LA MUSCADE —

Le grand gourmet français Curnonsky aurait un jour observé, à propos de la muscade: "… quiconque a déjà goûté cette épice n'en désire plus d'autres, tout comme quiconque a déjà fait l'amour avec une femme chinoise ne désire plus faire l'amour avec d'autres femmes". À vous d'en faire l'expérience. Vers la fin du 17e siècle et au début du 18e, le monde "civilisé" fut pris d'un véritable engouement pour la muscade. Des livres ont été écrits où l'on prétendait que la muscade était un médicament miracle. Les gens apportaient de la muscade avec eux partout où ils allaient. Ils avaient autour du cou ces râpes qui se vendent de nos jours à des prix exorbitants. Une des formes très populaires était celle du macis… Vous pigez?

La muscade a été utilisée comme médicament pendant des millénaires et cette pratique se poursuit encore en Orient où elle est employée, en particulier, pour atténuer les effets indésirables d'autres médicaments.

Si vous êtes suffisamment âgé pour vous rappeler l'époque psychédélique des hippies, vous avez peut-être déjà entendu dire que la muscade est une substance légèrement intoxicante. C'est vrai. La myristicine, un composant de la muscade, a des propriétés similaires à celles de la mescaline, qui est dérivée du cactus peyotl. Il n'est absolument pas recommandé de l'essayer. Vous serez malade bien avant d'avoir senti la plus légère euphorie.

La muscade se présente dans son propre contenant. La noix entière contient un certain nombre d'huiles essentielles fragiles qui disparaissent rapidement au contact de l'air, de sorte qu'il faut conserver les noix de muscade entières dans la cuisine. Vous pourrez acheter des râpes dans tous les magasins d'ustensiles de cuisine qui se respectent, mais vous pouvez également utiliser une râpe à fromage. Saupoudrez un peu de muscade sur les gâteaux, les desserts, les sandwiches au fromage grillés et même les salades. N'oubliez pas que la muscade est essentielle dans tous les punches et dans plusieurs boissons chaudes épicées.

Cannelloni

INGRÉDIENTS

400 g d'épinards frais
2 gousses d'ail hachées
2 œufs
400 g / 2 1/3 tasses de ricotta ou de fromage à pâte molle
100 g / 2/3 tasse de parmesan râpé
beaucoup de muscade fraîchement râpée
(environ 1/2 noix entière)
sel et poivre au goût
1 paquet de cannelloni à cuisson rapide
(environ 4 tubes par personne)
500 ml / 2 1/2 tasses de Sauce béchamel (voir page 121) ou
250 ml / 1 1/4 tasse de béchamel et 250 ml /
1 1/4 tasse de bouillon
température du four: 190 ˚C / 375 ˚F / Gaz 5

PRÉPARATION

♦ Laver les épinards et les faire cuire. Bien égoutter.
♦ Mélanger ensemble les épinards, l'ail, les œufs, la ricotta, la
moitié du parmesan, la moitié de la muscade, le sel et le poivre.
♦ Remplir les cannelloni de ce mélange.
♦ Mettre les cannelloni dans un plat bien graissé allant au four.
♦ Ajouter le reste de la muscade à la béchamel ou au mélange
de béchamel et de bouillon. Verser sur les cannelloni.
♦ Saupoudrer du reste de parmesan.
♦ Cuire au four pendant 40 minutes.

— LA MUSCADE —

Crème pâtissière aux bananes

6 PORTIONS

INGRÉDIENTS

6 bananes mûres
150 g / 3/4 tasse de sucre roux
5 g / 1 c. à thé de muscade fraîchement râpée
15 ml / 1 c. à table de jus de lime
150 g / 2 1/2 tasses de chapelure fraîche
4 œufs
750 ml / 3 1/4 tasses de lait
température du four: 180 °C / 350 °F / Gaz 4

PRÉPARATION

♦ Peler les bananes et les réduire en purée; ajouter la moitié du sucre, la muscade et le jus de lime; bien mélanger.
♦ Mettre le mélange dans un plat beurré et couvrir de chapelure.
♦ Battre les œufs et ajouter le reste du sucre en continuant de battre soigneusement.
♦ Réchauffer le lait et le verser dans le mélange contenant les œufs, en remuant sans arrêt. Verser le mélange sur les bananes et saupoudrer de muscade.
♦ Cuire au four jusqu'à ce que la crème pâtissière soit prise et que le dessus soit d'un brun doré, soit approximativement 35 minutes.

Punch à l'orange

INGRÉDIENTS

350 ml / 2 1/2 tasses de jus d'orange
100 ml / 1/2 tasse de lait concentré sucré
2,5 g / 1/2 c. à thé de muscade fraîchement râpée

PRÉPARATION

♦ Mélanger le jus d'orange, le lait concentré sucré et la muscade.
♦ Servir froid.

Boisson tropicale à l'orange

INGRÉDIENTS

1,5 l / 6 3/4 tasses de jus d'orange
1 pincée de sel
1 l / 4 1/2 tasses de lait concentré sucré
muscade fraîchement râpée

PRÉPARATION

♦ Mélanger le jus d'orange et le sel; refroidir.
♦ Ajouter le lait concentré sucré et bien mélanger; ajouter la muscade.
♦ Servir immédiatement avec des glaçons.

— LE PAPRIKA —

*L*a plupart des variétés de capsicum sont souvent considérées comme des légumes plutôt que des épices. Fréquemment appelés "poivrons", ce sont en fait des fruits rouges ou verts lustrés qui embellissent presque tous les comptoirs de légumes. Le paprika est une épice faite à partir de capsicums semblables à ceux-là. Comme on peut s'en douter, le paprika est beaucoup plus doux que la poudre de chili ou le poivre de Cayenne. Le meilleur paprika vient généralement de Hongrie, où il est plus qu'une simple épice: c'est une religion. Habituellement, le paprika a une saveur douce et on l'utilise plus pour décorer que pour assaisonner; mais il en existe des variétés un peu plus mordantes. Pour les Hongrois, comme pour les Indiens, il est difficile de croire que le paprika n'est pas originaire de leur pays. En fait, celui-ci fut apporté en Hongrie par leurs ennemis jurés, les Turcs.

L'origine du goulasch est quelque peu analogue à celle du chili con carne. Le mot hongrois "gulyas" signifie gardien de troupeaux. Le plat est préparé dans de grosses casseroles et c'est ce que mangent les bergers le soir. L'utilisation du veau est une innovation probablement attribuable aux Australiens, qui sont peut-être un peu plus raffinés.

En 1926, le chimiste hongrois Szent Gyorgi fut le premier à isoler une substance — que l'on appelle maintenant la vitamine C — du paprika! La chose est quelque peu ironique, considérant que les premiers marins qui faisaient le commerce des épices étaient souvent victimes du scorbut. Les Anglais finirent par découvrir que l'on pouvait prévenir la maladie en suçant de la lime. Depuis, les marins britanniques sont désignés par le terme "limeys". Nous savons aujourd'hui que tous les capsicums sont extrêmement riches en vitamine C, cet agent qui permet de prévenir le scorbut. Si ce fait avait été connu des premiers marins britanniques, sous quel drôle de nom auraient-ils alors été désignés?

Goulasch au veau

INGRÉDIENTS

1 gros oignon haché
30 ml / 2 c. à table d'huile
800 g de veau en cubes
250 ml / 1 1/4 tasse de bouillon
sel et poivre au goût
45 g / 3 c. à table de paprika hongrois
1 gros poivron vert coupé en rondelles
250 ml / 1 1/4 tasse de crème sure
persil haché

PRÉPARATION

♦ Faire frire l'oignon dans l'huile, dans une casserole épaisse. Ajouter le veau et le faire sauter jusqu'à ce qu'il soit légèrement bruni.

♦ Ajouter le bouillon, le sel et le poivre. Cuire à feu doux pendant une heure.

♦ Ajouter le paprika et le poivron vert. Remuer. Cuire encore une heure.

♦ Incorporer la crème sure et cuire pendant 3 minutes.

♦ Garnir de persil et servir avec des *Nouilles aux graines de pavot* (voir page 101).

— LE PAPRIKA —

Escalopes de poisson

4 PORTIONS

INGRÉDIENTS
1 kg d'escalopes de brème (poisson blanc)
sel et poivre au goût
5 g / 1 c. à thé de paprika
2 œufs battus
100 g / 2 tasses de chapelure fraîche
huile végétale pour la friture

PRÉPARATION
♦ Laver, éponger et couper le poisson en tranches minces, dans le sens de la longueur.
♦ Saler, poivrer et saupoudrer de paprika.
♦ Ajouter du sel, du poivre et du paprika à la chapelure.
♦ Tremper les tranches de poisson dans les œufs, puis passer chacune d'entre elles dans la chapelure. Laisser sécher.
♦ Faire chauffer l'huile dans une poêle à frire jusqu'à ce qu'elle soit presque fumante. Faire frire le poisson jusqu'à ce qu'il soit de couleur brun doré.

Canard rôti

4 PORTIONS

INGRÉDIENTS
3 kg de canard
jus d'orange
sel et poivre
ail écrasé
paprika
sauce de soja
température du four: 170 ˚C / 325 ˚F / Gaz 3

PRÉPARATION
♦ Préparer une pâte avec tous les ingrédients, au goût.
♦ Badigeonner la pâte sur la peau et l'intérieur du canard.
♦ Placer le canard dans un moule peu profond, poitrine vers le haut, et faire rôtir sur une grille jusqu'à ce qu'il soit tendre, soit environ 2-3 1/2 heures. Percer fréquemment la peau pour laisser échapper la matière grasse.
♦ Tourner la volaille toutes les demi-heures, en la badigeonnant fréquemment de jus d'orange.
♦ Avant de servir, placer le canard sous le gril pour que la peau devienne croustillante.

Pain de viande

4-6 PORTIONS

INGRÉDIENTS
environ 600 g / 2 1/2 tasses de bœuf, de porc
ou d'agneau haché
100 g / 1 tasse d'oignons tranchés
50 ml / 1/4 tasse d'eau
30 g / 2 c. à table de matières grasses (beurre fondu)
50 g / 1/3 tasse de riz blanc bouilli
1 carotte râpée
2 gousses d'ail hachées
10 g / 2 c. à thé de paprika
température du four: 170 ˚C / 325 ˚F / Gaz 3

PRÉPARATION
♦ Faire frire les oignons.
♦ Combiner tous les ingrédients, sauf les matières grasses et le paprika.
♦ Façonner le mélange en pain.
♦ Faire fondre les matières grasses dans un moule à pain, ajouter la viande et saupoudrer de paprika.
♦ Cuire au four préchauffé pendant 1 heure.

— LE POIVRE NOIR —

Le poivre noir est tout simplement le roi des épices. Lui seul occupe une place exaltante, à côté du sel, sur presque toutes les tables du monde occidental. Toutefois, il n'en a pas toujours été ainsi. Le gingembre, la cannelle, la muscade, le macis et même le clou de girofle étaient les grandes épices du Moyen Âge. Même les Romains préféraient un poivre plus aromatique, le *Piper longum* ou *pipeli*. Notre poivre, le poivre noir (ou *Piper nigrum*), a connu un regain de popularité avec le déclin de la marmite sucrée du Moyen Âge. La cuisine, à cette époque, se faisait dans l'âtre, dans une grande marmite unique, où l'on mélangeait les ingrédients secs et les ingrédients salés. Avec l'avènement du four ménager, les plats salés se retrouvèrent isolés et le poivre connut son ascension.

Le poivre est originaire d'une région appelée Malabar, laquelle est située sur la côte occidentale de l'Inde. Ce fut l'un des premiers endroits que les Européens découvrirent, vers la fin du 15e siècle, après avoir contourné l'Afrique. L'Inde est toujours l'un des premiers pays producteurs de l'épice, mais l'Indonésie en est le principal exportateur. Actuellement, la Malaisie, le Sri Lanka, le Kampuchea, le Vietnam et le Brésil en produisent aussi.

Comme le poivre pousse seulement proche de l'équateur, dans des conditions chaudes et humides, près du niveau de la mer, sa récolte représente un travail pénible. En fait, le poivre que vous avez mangé aujourd'hui risque fort d'avoir été récolté par des femmes munies de grands paniers en osier, sans aucune aide mécanique.

Le terme anglais pour poivre, "pepper", est dérivé du mot sanskrit *pippali*, qui signifie baie. Les arbustes à poivre atteignent environ quatre mètres de hauteur et sont couverts de baies qui, lorsqu'elles deviennent mûres, prennent une belle couleur rouge. Ces baies sont cueillies vertes, juste avant qu'elles mûrissent et sont disposées sur d'énormes plates-formes pour sécher au soleil. Après environ une semaine et demie, les baies vertes sont devenues noires, prenant ainsi l'apparence des grains de poivre que nous connaissons.

— LE POIVRE NOIR —

Salade de tomates

INGRÉDIENTS
6 tomates, coupées en tranches minces
poivre noir fraîchement moulu (beaucoup!)
45 ml / 3 c. à table d'huile d'olive
6 grains de poivre
herbes fraîches pour garnir

PRÉPARATION
♦ Disposer les tranches de tomates dans une grande assiette.
♦ Saupoudrer généreusement de poivre noir. Tourner les tomates et les saupoudrer à nouveau de poivre.
♦ Verser l'huile d'olive sur les tomates.
♦ Saupoudrer d'herbes et décorer de grains de poivre.

— LE POIVRE NOIR —

Escabèche de poisson

6 PORTIONS

Le nom de la recette est dérivé de l'espagnol "escabeche" qui signifie mariné. C'est une recette très populaire en Jamaïque: le plat est servi partout sur l'île... et les variantes régionales sont nombreuses.

INGRÉDIENTS
2 kg / 1 1/4 de vivaneau, de rouget ou autre poisson
de texture similaire
20 g / 4 c. à table de poivre noir moulu
sel
275 ml / 1 1/4 tasse d'huile végétale
125 ml / 2/3 tasse de vinaigre
3 gros oignons hachés
1 gros poivron vert tranché en rondelles
5 g / 1 c. à thé de piment de la Jamaïque
5 g / 1 c. à thé de grains de poivre noir entiers

PRÉPARATION
♦ Laver et éponger soigneusement le poisson avant de le couper en tranches d'environ 100 g.
♦ Mélanger le poivre noir moulu et le sel, et enrober le poisson de ce mélange.
♦ Faire chauffer l'huile dans une poêle à frire jusqu'à ce qu'elle commence à fumer. Faire frire le poisson rapidement des deux côtés, retirer de la poêle et réserver.
♦ Mettre dans la même poêle le vinaigre, les oignons hachés, le poivron vert, le piment de la Jamaïque et les grains de poivre. Amener lentement à ébullition et laisser mijoter jusqu'à ce que les oignons soient tendres.
♦ Laisser refroidir le mélange. Verser sur le poisson et laisser mariner. En Jamaïque, on a l'habitude de préparer le poisson le samedi soir pour le manger le dimanche matin.

Pain au saumon

4 PORTIONS

INGRÉDIENTS
environ 425 g / 2 tasses de saumon en conserve
1/2 oignon finement haché
1 branche de céleri finement hachée
1 carotte râpée
1 gousse d'ail écrasée
75 g / 1 1/2 tasse de chapelure
poivre noir fraîchement moulu
30 ml / 2 c. à table de jus de citron
sel au goût
2 œufs légèrement battus
persil
température du four: 180 °C / 350 °F / Gaz 4

PRÉPARATION
♦ Égoutter le saumon et le réduire en purée.
♦ Incorporer les légumes, l'ail, la chapelure, le poivre, le jus de citron et le sel dans l'œuf battu, puis mélanger.
♦ Ajouter le saumon au mélange et assaisonner.
♦ Verser dans un moule à pain beurré.
♦ Cuire au four pendant 45 minutes, saupoudrer de persil et servir immédiatement.

Kichlach à l'oignon

20-30 PORTIONS

INGRÉDIENTS
400 g / 4 tasses de farine blanche
50 g / 1/3 tasse de graines de pavot
10 g / 2 c. à thé de poudre à pâte
10 g / 2 c. à thé de poivre noir
10 g / 2 c. à thé de sel
6 gros oignons finement hachés
350 ml / 1 1/2 tasse d'huile végétale
4 œufs
225 ml / 1 tasse d'eau
température du four: 200 °C / 400 °F / Gaz 6

PRÉPARATION
♦ Mélanger ensemble tous les ingrédients secs, y compris les oignons.
♦ Faire un puits au centre du mélange et y ajouter l'huile, les œufs et l'eau. Pétrir le tout.
♦ Rouler le mélange à environ 1/2 cm d'épaisseur. Découper en triangles et piquer la pâte avec une fourchette.
♦ Cuire sur une plaque à pâtisserie non graissée pendant 1/2 heure ou jusqu'à l'obtention d'une couleur brun doré.

— Le poivre vert et le poivre rouge —

Les grains de poivre noir qui sont dans votre moulin à poivre étaient à l'origine des baies non mûres cueillies et séchées au soleil. Certaines baies vertes non mûres, emballées ou conservées dans la saumure, sont envoyées dans les boutiques de gourmets du monde entier. En fait, les grains de poivre vert sont très populaires en France, ainsi qu'en Allemagne, pays où la consommation annuelle excède 500 tonnes. Par contraste, l'Allemagne consomme annuellement plus de 10 000 tonnes de poivre noir ordinaire! Les grains de poivre vert sont généralement vendus dans de petits contenants (ou bouteilles) et ils sont chers.

Récemment, les boutiques de gourmets à la mode ont été envahies par de petites bouteilles de baies rosâtres qu'on appelle poivre rouge. On peut obtenir des grains de poivre de couleur rouge si on laisse mûrir les baies de *Piper nigrum*. Toutefois, celles-ci ne sont ni emballées, ni exportées.

Les grains de poivre rouge que l'on trouve sur le marché ne sont sans doute pas du poivre du tout, mais les fruits d'une mauvaise herbe d'Amérique du Sud, le *Schinus terebinthifolius*. Actuellement, cette plante semble s'être imposée sans invitation dans plusieurs parties de la Floride, dans les pays de la Méditerranée et en Afrique.

Est-ce vraiment si important que le *Schinus* ne soit pas vraiment du poivre puisqu'il est réputé avoir certaines vertus médicinales? La réponse est qu'on lui a associé une toxicité légère, mais déplaisante. En fait, il est stupéfiant que des gourmets paient une fortune pour une plante qu'un grand nombre de personnes souhaiteraient voir éradiquée de leur habitat.

Si vous tenez à avoir du faux "poivre", utilisez plutôt le piment de la Jamaïque. Vous ne pouvez pas vous tromper.

Poitrine de bœuf épicée

4 PORTIONS

INGRÉDIENTS

MARINADE
sel au goût
poivre noir fraîchement moulu
2 c. à table de grains de poivre rouge et vert
3 gousses d'ail écrasées
5 ml / 1 c. à thé de sauce de soja
5 g / 1 c. à thé de paprika
10 g / 2 c. à thé de moutarde préparée

1 kg de poitrine de bœuf
1 oignon haché
1 poivron vert haché
température du four: 180 °C / 350 °F / Gaz 4

PRÉPARATION

♦ Faire mariner tous les ingrédients ensemble ou utiliser une combinaison appropriée pour convenir aux goûts de chacun.
♦ Badigeonner généreusement la poitrine de bœuf de la marinade.
♦ Laisser reposer pendant une heure à la température de la pièce en retournant la viande toutes les 15 minutes.
♦ Faire sauter l'oignon et le poivron vert jusqu'à ce qu'ils soient tendres, puis les mettre au fond de la casserole.
♦ Mettre la poitrine de bœuf dans la casserole, côté gras vers le haut, et bien l'arroser de marinade.
♦ Couvrir et faire rôtir pendant 2 heures.
♦ Retirer le rôti et le laisser refroidir légèrement, jusqu'à ce qu'il puisse être tranché.
♦ Remettre au four et faire rôtir encore 20 minutes, jusqu'à ce qu'il soit cuit.

Bifteck au poivre vert

4 PORTIONS

INGRÉDIENTS

50 g / 4 c. à table de beurre non salé
1 c. à table comble de grains de poivre vert
15 ml / 1 c. à table de brandy (ou cognac)
sel de mer fraîchement moulu, au goût
4 biftecks de 225 g chacun

PRÉPARATION

♦ Passer le beurre, les grains de poivre, le brandy et le sel au mélangeur, jusqu'à ce que la consistance soit homogène.
♦ Badigeonner les biftecks de beurre aromatisé et les faire griller à feu élevé, jusqu'à ce qu'ils soient cuits.

Bifteck et Stout (bière)

INGRÉDIENTS

800 g de bifteck de croupe
moutarde de Dijon
huile végétale pour la friture
poivre noir fraîchement moulu
12 grains de poivre noir
12 grains de poivre vert
8 piments de la Jamaïque, entiers
100 g / 2 tasses de champignons tranchés
225 ml / 1 tasse de bière Guinness
5 ml / 1 c. à thé de Sauce Worcestershire (voir page 120)
température du four: 180 °C / 350 °F / Gaz 4

PRÉPARATION

♦ Enrober les biftecks d'une mince couche de moutarde de Dijon et de beaucoup de poivre noir fraîchement moulu.
♦ Faire frire dans l'huile, comme pour la cuisson de biftecks bleus. Les retirer délicatement du poêlon.
♦ Mettre dans le poêlon les grains de poivre, les piments de la Jamaïque et les champignons. Cuire pendant 2 minutes.
♦ Ajouter la Guinness et cuire à feu élevé pendant 1 minute, puis ajouter la *Sauce Worcestershire*.
♦ Disposer les biftecks dans un plat allant au four et verser sur ceux-ci le mélange contenant la Guinness.
♦ Couvrir le plat d'un papier d'aluminium et cuire au four pendant une heure.

— LE POIVRE BLANC —

*L*e poivre blanc est vraiment du poivre. Plutôt que de cueillir les baies quand elles sont encore vertes, on les laisse mûrir légèrement jusqu'à ce qu'elles commencent tout juste à rougir. On les fait ensuite sécher au soleil, tout comme le poivre noir. Puis, on remplit de grands sacs de ces grains de poivre trop mûrs, et on les plonge dans des cours d'eau. Pendant les semaines qui suivent, un processus bactérien provoque la séparation des péricarpes, soit les enveloppes extérieures des grains de poivre. Finalement, les sacs sont retirés de l'eau et les péricarpes sont enlevés. Pour compléter le processus, les baies sont placées dans de grands barils de bois dans des réservoirs d'eau. Des femmes, jambes nues, entrent réellement dans les barils et foulent les grains pour retirer les enveloppes qui restent.

On dit que dans certaines plantations brésiliennes, cette dernière étape s'effectue mécaniquement; cependant, dans la plupart des régions du monde, le poivre blanc est préparé de cette manière pénible et ennuyeuse.

L'industrie alimentaire préfère le poivre blanc pour les vinaigrettes et les mayonnaises, où les taches noires sont indésirables. L'arôme du poivre blanc est très similaire à celui du poivre noir, mais il peut être un peu moins âpre ou piquant. Il est idéal pour les plats qui comprennent des ingrédients plus doux au goût et de couleur plus pâle, comme les soufflés.

Les Français utilisent souvent un mélange de grains de poivre noir et de poivre blanc, qu'on appelle mignonnette. La recette est facile: il suffit de mélanger les grains dans votre moulin à poivre.

Salade d'épinards et de pois chiches

4 PORTIONS

INGRÉDIENTS
175 g / 3/4 tasse de pois chiches
400 g / 2 tasses d'épinards lavés
15 g / 1 c. à table de beurre
90 ml / 6 c. à table d'huile d'olive
30 ml / 2 c. à table de vinaigre de vin blanc
poivre blanc fraîchement moulu
sel au goût
1 oignon coupé en rondelles
100 g / 1/2 tasse de yogourt
persil haché

PRÉPARATION
♦ Faire tremper les pois chiches dans l'eau toute la nuit, puis les faire cuire dans de l'eau non salée pendant une heure, ou jusqu'à ce qu'ils soient tendres.
♦ Faire cuire les épinards dans une casserole, en y incluant une petite quantité de beurre, mais pas d'eau. Égoutter et hacher.
♦ Ajouter les pois chiches aux épinards refroidis.
♦ Ajouter l'huile d'olive, le vinaigre, le sel et le poivre; touiller, en faisant attention de ne pas écraser les pois chiches. Ajouter les rondelles d'oignons.
♦ Verser le yogourt sur la salade avant de servir. Saupoudrer de persil.

— LE POIVRE BLANC —

Soufflé au fromage

6 PORTIONS

INGRÉDIENTS

50 g / 4 c. à table de beurre
50 g / 1/2 tasse de farine tout usage
225 ml / 1 tasse de lait
5 œufs, séparés
150 g / 1 1/4 tasse de cheddar râpé
sel
poivre blanc fraîchement moulu (une quantité généreuse)
poivre de Cayenne au goût (1,25 g est largement suffisant)
1 pincée de moutarde en poudre

température du four: 200 °C / 400 °F / Gaz 6

PRÉPARATION

♦ Faire fondre le beurre et incorporer la farine.
♦ Ajouter le lait et remuer jusqu'à l'obtention d'une consistance homogène. Retirer du feu quand le mélange a épaissi.
♦ Ajouter les jaunes d'œufs, un à la fois.
♦ Ajouter le fromage, le sel, les épices, le poivre blanc fraîchement moulu, le poivre de Cayenne et la moutarde.
♦ Battre les blancs d'œufs jusqu'à la formation de pics.
♦ Incorporer un peu des blancs d'œufs dans le mélange au fromage pour l'amollir, puis incorporer le reste.
♦ Verser le mélange dans un plat à soufflé beurré.
♦ Cuire dans un four préchauffé pendant 25 minutes, ou jusqu'à ce que le soufflé ait bruni et levé.

— LE PIMENT —

*D*ans certaines boutiques, des bouteilles d'épices moulues sont étiquetées «piment de la Jamaïque», tandis que les baies entières sont appelées «piment». Les commis ignorent en fait qu'il s'agit de la même épice. C'est dommage. Ce sont les baies entières qu'il faut utiliser dans la recette de foie haché qui suit, parce que celles-ci seront moulues dans la préparation, libérant ainsi toute leur saveur dans les aliments.

Avant l'arrivée des Espagnols, ce sont les Arawaks qui étaient les indigènes de l'île de la Jamaïque. Malheureusement, la tribu entière a été éliminée peu après l'invasion européenne. Le mot «Jamaïque» signifiait, pour les Arawaks, "terre de bois et d'eau". Les indigènes utilisaient le piment dans la salaison de la viande des animaux et, à l'occasion, de leurs ennemis. La viande salée au piment s'appelait boucan, et elle fut adoptée par les pirates qui utilisaient l'île comme base pour leurs raids dans les Caraïbes. C'est pourquoi, d'ailleurs, les pirates furent désignés plus tard sous le nom de boucaniers.

Un plat très populaire qui fait le délice des touristes en Jamaïque est le porc boucané ou porc cuit à la façon des Arawaks. La viande est bien sûr assaisonnée de piments, mais elle est rôtie sur une plate-forme de bois ouverte construite à partir de branches de piment. Le nom Arawak de la structure était «barbecue».

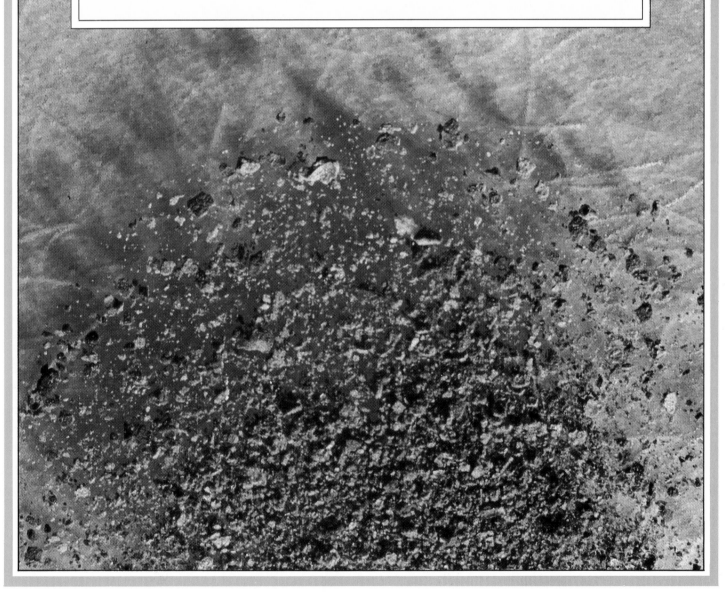

Foie haché

INGRÉDIENTS
800 g de foie d'agneau
farine tout usage
2 oignons moyens tranchés
18 grains de poivre
8 piments entiers
sel au goût
50 g / 4 c. à table de beurre
2,5 cm de radis blanc

PRÉPARATION
♦ Passer le foie dans la farine et le faire frire avec un des oignons, dans le beurre à feu moyen, jusqu'à ce qu'il soit cuit.
♦ Couper le foie en petits morceaux.
♦ À l'aide d'un mélangeur électrique, mélanger tous les ingrédients, y compris l'autre oignon et le beurre qui reste dans la casserole.

Servir garni de laitue et de persil.

Note: Les anciens hachoirs à viande donnent une meilleure texture.

— LE PIMENT —

Ragoût de poisson brun

2 PORTIONS

INGRÉDIENTS
1 vivaneau, rouget ou brochet
huile végétale pour la friture
2 oignons tranchés
5 g / 1 c. à thé de piments entiers
275 ml / 1 1/4 tasse d'eau
7 g / 1 1/2 c. à thé de sucre brun foncé
ketchup aux tomates (facultatif)
sel et poivre au goût

PRÉPARATION
♦ Laver et éponger le poisson.
♦ Faire chauffer l'huile et faire frire légèrement le poisson. Réserver.
♦ Faire frire les oignons, ajouter les piments et remuer.
♦ Ajouter l'eau et le sucre brun. Remuer jusqu'à l'obtention d'une sauce brune; ajouter le ketchup aux tomates; saler et poivrer au goût.
♦ Mettre le poisson dans une casserole profonde. Verser la sauce sur le poisson. Couvrir et laisser mijoter pendant 15 minutes; retourner le poisson durant la cuisson.

Poitrine de bœuf épicée

6 PORTIONS

INGRÉDIENTS
1,5 kg de poitrine de bœuf
8 tranches de bacon minces
2 oignons grossièrement hachés
2 clous de girofle
1 brin de macis
15 g / 1 c. à table de piments
6 grains de poivre noir
eau
température du four: 170 °C / 325 °F / Gaz 3

PRÉPARATION
♦ Laver et éponger la viande, puis enlever l'excès de gras si nécessaire.
♦ Couvrir le fond d'une casserole de 4 tranches de bacon minces et des oignons.
♦ Placer la viande sur le bacon et les oignons, puis disposer les tranches de bacon qui restent sur le dessus. Ajouter les épices et l'eau, de façon que la viande soit presque recouverte.
♦ Couvrir la casserole; cuire lentement au four, pendant 3 heures ou jusqu'à ce que la viande soit tendre.

— LES GRAINES DE PAVOT —

*V*ous vous êtes peut-être déjà demandé si les graines de pavot provenaient de la même plante que l'opium. La réponse est oui. Le pavot blanc a été à la fois l'une des plantes les plus bénéfiques et l'une des plus controversées. Les graines poussent dans des gousses où elles sont entourées d'un jus blanc laiteux dont le stupéfiant est dérivé; cependant, les graines elles-mêmes ne possèdent aucune propriété psychotrope. Le pavot blanc originaire d'Asie Mineure est maintenant cultivé dans des régions semi-tropicales.

Il n'est pas surprenant que la plante ait été l'une des premières à être appréciée des êtres humains et que ses minuscules graines noires le soient depuis très longtemps. Celles-ci étaient l'un des condiments préférés des Égyptiens de l'Antiquité et des Grecs. Les anciens athlètes olympiques mangeaient de petits gâteaux au miel et aux graines de pavot pour avoir de l'énergie. Les Romains en saupoudraient sur une sorte de pain en forme de champignon, une pratique que les Européens ont maintenue jusqu'à nos jours.

Le Purim, une fête juive, célèbre l'empêchement d'un massacre planifié contre les Juifs de Perse et la chute du cruel chambellan Haman. Aujourd'hui, on ne sait plus très bien si la forme triangulaire symbolise le chapeau, la bourse ou les oreilles de Haman, mais toujours est-il qu'en signe de commémoration de sa destitution, on mange encore des pâtisseries à trois coins appelées Hamantaschen. Or, les graines de pavot sont une des garnitures les plus populaires de ces pâtisseries.

En Inde, les graines sont utilisées dans les sauces piquantes pour rehausser leur saveur et améliorer leur texture.

Cela peut paraître étrange, mais jusque vers la fin du Moyen Âge, les nouilles étaient inconnues en Italie et dans le reste de l'Europe. En fait, on croit qu'elles sont originaires de Chine ou du Sud-Est Asiatique, des régions où, depuis longtemps, les populations faisaient usage du pavot.

— LES GRAINES DE PAVOT —

Nouilles aux graines de pavot

6 PORTIONS

INGRÉDIENTS
400 g de nouilles longues
50 g / 3 c. à table de beurre non salé
30 g / 2 c. à table de graines de pavot
sel et poivre au goût

PRÉPARATION
♦ Cuire les nouilles et les égoutter.
♦ Faire fondre le beurre. Ajouter les graines de pavot, le sel et
le poivre.
♦ Ajouter les nouilles et remuer à l'aide d'une cuillère de bois.

Servir avec du *Goulasch au veau* (voir page 88).

101

— LES GRAINES DE PAVOT —

Hamantaschen

24 PORTIONS

Les Hamantaschen sont les gâteaux que l'on mange traditionnellement durant la fête juive appelée Purim. Selon la légende, leur forme triangulaire rappelle les oreilles ou le chapeau du vilain Haman.

INGRÉDIENTS
PÂTE À GÂTEAU
12,5 g / 2 1/2 c. à thé de levure
50 g / 1/4 tasse de sucre
50 g / 4 c. à table de beurre ou de margarine
150 ml / 2/3 tasse de lait
400 g / 3 3/4 tasses de farine tout usage
sel au goût
1 œuf
miel

GARNITURE AUX GRAINES DE PAVOT
100 g / 1/2 tasse de graines de pavot moulues
275 ml / 1 1/4 tasse de lait
50 g / 4 c. à table de beurre
50 g / 1/3 tasse de noix hachées
30 ml / 2 c. à table de mélasse
température du four: 180 ˚C / 350 ˚F / Gaz 4

PRÉPARATION
♦ Crémer la levure avec 15 g / 1 c. à table de sucre dans un bol chaud.
♦ Faire fondre le beurre ou la margarine, verser dans le lait et remuer. Ajouter le sucre et la levure en crème.
♦ Tamiser la farine et le sel ensemble dans un grand bol. Faire un puits au milieu et y verser le mélange liquide.
♦ Incorporer le liquide dans la farine, de façon à obtenir une pâte malléable.
♦ Couvrir d'un linge et placer dans un endroit chaud pendant 2 heures.
♦ Ajouter le reste du sucre, un œuf bien battu, et pétrir soigneusement.
♦ Couvrir de nouveau avec le linge, et laisser reposer encore une fois pendant 2 heures; la pâte sera alors prête à être utilisée.
♦ Pour préparer la garniture, mettre tous les ingrédients ensemble dans une casserole, et cuire à feu doux jusqu'à ce que le mélange soit épais; écumer fréquemment. Laisser refroidir.
♦ Rouler une pâte de 0,5 cm d'épaisseur.
♦ Découper la pâte en ronds de 10 cm et badigeonner de beurre fondu.
♦ Mettre 5 g / 1 c. à thé de garniture au centre de chaque rond.
♦ Plier les bords de façon à former des gâteaux à trois côtés.
♦ Badigeonner les dessus des gâteaux de miel fondu.
♦ Laisser dans un endroit chaud jusqu'à ce que les gâteaux doublent leur taille originale.
♦ Cuire au four jusqu'à ce que les gâteaux soient bruns.

Croquants aux graines de pavot

DONNE 8 CARRÉS

INGRÉDIENTS
45 g / 3 c. à table de beurre non salé
75 g / 1/3 tasse de sucre blanc
2 œufs séparés
5 ml / 1 c. à thé d'essence de vanille
150 g / 1 1/4 tasse de farine tout usage
7,5 g / 1 1/2 c. à thé de poudre à pâte
100 g / 1/2 tasse de sucre brun
100 g / 1/3 tasse de graines de pavot moulues
température du four: 170 ˚C / 325 ˚F / Gaz 3

PRÉPARATION
♦ Réduire le beurre et le sucre en crème; incorporer les jaunes d'œufs, un à la fois, et ajouter la vanille.
♦ Tamiser ensemble la farine et la poudre à pâte, et incorporer dans le mélange.
♦ Mettre le mélange dans un moule carré de 20 cm graissé. La pâte doit encore être assez molle.
♦ Battre les blancs d'œufs jusqu'à ce qu'ils soient fermes, puis ajouter les œufs en battant, et incorporer les graines de pavot.
♦ Étendre ce mélange sur la pâte et cuire au four pendant 25 minutes, ou jusqu'à ce que le dessus soit légèrement bruni.
♦ Refroidir et découper en carrés.

— LE SAFRAN —

Le safran fait figure d'aristocrate parmi les épices; son arôme est subtil, sa couleur est dorée et il coûte cher. L'épice est originaire de la partie méridionale de ce qui est aujourd'hui la Turquie moderne et elle était bien connue dans la Méditerranée orientale. De nos jours, on la cultive principalement en Iran et au Cachemire, mais surtout, en Espagne. Le safran, ce sont les stigmates ou les organes de reproduction femelles d'un charmant crocus violet, assez analogue à la variété que l'on voit fréquemment dans nos jardins, sauf qu'il fleurit en automne. Il est très largement cultivé sur les collines rocailleuses de La Manche, l'Espagne de Don Quichotte. Durant les deux ou trois courtes semaines de la floraison automnale, alors que les journées sont encore très chaudes, des familles entières se rendent dans les champs: hommes, femmes et enfants passent alors de longues heures, en étant continuellement courbés, à cueillir des milliers et des milliers de ces fleurs merveilleuses. Pendant les nuits froides, les familles se réunissent pour séparer un par un, à la main, les stigmates des pétales, qui sont jolis mais inutiles. Une fois que les stigmates sont séchés, un champ entier peut se réduire à une poignée d'épice.

Le safran était connu en Espagne dès l'Antiquité, mais la tradition de la culture moderne a été entreprise par les Arabes, en l'an 900 environ. Les Arabes furent également les premiers à planter le riz qui pousse dans les lacs d'Espagne. Il y a donc environ 1 000 ans que les ingrédients furent réunis, en Espagne, pour donner l'un des plus célèbres plats de ce pays, la paella.

Le safran s'est répandu dans toute l'Europe et est devenu l'une des principales épices utilisées au Moyen Âge. Il était cultivé en Allemagne et en Angleterre. Le safran français est utilisé dans la préparation du meilleur de tous les plats marseillais, la bouillabaisse.

L'arrivée des épices orientales a signifié la fin de la culture du safran dans toute l'Europe, excepté sur les plateaux rocailleux de La Manche.

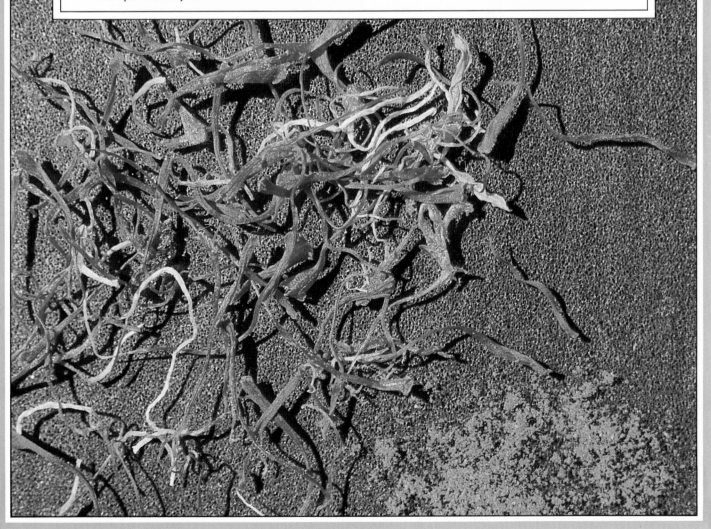

Paella

6-8 PORTIONS

INGRÉDIENTS

50 g / 1/2 tasse de persil haché
8 gousses d'ail écrasées
2 c. à thé d'origan
sel et poivre
1 poulet moyen, en morceaux, sans la peau
farine tout usage
huile végétale pour la friture
1 oignon tranché
filaments de safran, 1 pincée généreuse
375 ml / 1 1/2 tasse de bouillon de poulet
200 g / 1 tasse de riz
200 ml / 1 tasse de vin blanc
375 g / 1 1/2 tasse de tomates en conserve
25 g / 2 c. à table de beurre
800 g de calmars crus hachés
400 g / 4 tasses de moules
400 g / 4 tasses de palourdes fraîches
(des crevettes congelées et décortiquées
ou des coques peuvent leur être substituées)

PRÉPARATION

♦ Faire une purée avec le persil, la moitié de l'ail, l'origan, le sel et le poivre.

♦ Faire mariner les morceaux de poulet dans ce mélange pendant 2 heures.

♦ Passer les morceaux de poulet dans la farine; les faire frire dans l'huile jusqu'à ce qu'ils soient à moitié cuits. Mettre de côté.

♦ Dans une poêle à paella, faire frire l'oignon et le reste de l'ail.

♦ Faire infuser le safran dans un peu de bouillon de poulet pendant 10 minutes.

♦ Ajouter le poulet dans la poêle à paella, avec le riz, le vin blanc, les tomates, le bouillon au safran, le reste du safran et le beurre.

♦ Bien mélanger et couvrir pendant 2 minutes.

♦ Ajouter les fruits de mer en les disposant en cercles concentriques.

♦ Couvrir et laisser mijoter pendant 20-30 minutes. Vérifier si le riz est cuit.

♦ Laisser reposer pendant 3-4 minutes avant de servir.

— LE SAFRAN —

Des amis qui revenaient d'Espagne se faisaient une joie de nous offrir un grand sac contenant une épice jaune qu'ils nous affirmaient être du safran. Nous leur avons caché notre déception, mais nous avons tout de même dû leur dire que ce qu'ils avaient acheté n'était pas du safran, mais du curcuma. Pour acheter autant de safran, il leur aurait fallu vendre leur nouvelle voiture! Un jour où nous visitions un marché aux épices au Moyen-Orient, nous avons remarqué un éventaire couvert d'une montagne de minuscules fleurs orangées surmonté d'une étiquette où l'on pouvait lire: «safran». Bien que le marchand nous ait juré avec la dernière énergie que son safran était authentique, ce n'était pas du safran, mais du carthame, une substance totalement différente et moins désirable.

Pendant des siècles, peut-être des millénaires, les gens ont utilisé soit du safran pur adultéré avec une substance bon marché, soit vendu cette dernière comme étant l'authentique. Au 15e siècle, en Allemagne, un tribunal spécial, le Safranschau, était chargé d'éliminer ces pratiques malhonnêtes. Les contrevenants étaient condamnés à la mort immédiate. De nos jours, les pénalités, s'il en est, sont beaucoup moins sévères; cependant, en tant que consommateur, les risques de se «faire avoir» sont encore très élevés.

Même en achetant des stigmates, il est possible de se faire rouler. Dans certains cas, des épices qui avaient déjà été utilisées ont été infusées avec du colorant alimentaire. Il est donc recommandé d'acheter le safran d'un commerçant en épices réputé et de se méfier des «offres spéciales»: ce ne sont pas toujours les aubaines qu'elles prétendent être.

Le safran est largement utilisé dans la cuisine indienne raffinée et dans plusieurs plats de fêtes iraniens. Il existe encore deux intéressantes traditions culturelles ancestrales relatives au safran. Les habitants de Cornwall, dans le sud-ouest de l'Angleterre, affirment que l'épice a été apportée pour la première fois dans cette région par les anciens Phéniciens. De nos jours, on y prépare encore les célèbres gâteaux et brioches au safran.

Par ailleurs, pour le groupe connu sous le nom de Dutch of Pennsylvania, qui avait émigré aux États-Unis en provenance de l'Allemagne, le safran s'avère essentiel à la préparation de leur fameux gâteau Schwenkfelder.

Biscuits de Pâques

INGRÉDIENTS
50 g / 1/2 tasse comble de farine tout usage
1 pincée de sel
50 g / 1/3 tasse de raisins de Corinthe
75 g / 6 c. à table de beurre non salé
75 g / 1/3 tasse de sucre
1 jaune d'œuf légèrement battu
1 pincée de safran qui a trempé toute la nuit dans 5 ml / 1 c. à thé de lait
température du four: 190 °C / 375 °F / Gaz 5

PRÉPARATION
♦ Tamiser la farine avec une pincée de sel.
♦ Laver les raisins et les ajouter à la farine.
♦ Réduire le beurre et le sucre en crème, jusqu'à l'obtention d'une consistance homogène et d'une couleur claire.
♦ Ajouter l'œuf battu, plus une petite quantité de farine.
♦ Ajouter le safran.
♦ Mélanger et pétrir la pâte, qui doit être ferme mais malléable.
♦ Rouler la pâte à 1 cm d'épaisseur et la couper en ronds.
♦ Cuire pendant 10 minutes ou jusqu'à ce que les biscuits soient légèrement bruns.

Risotto

4 PORTIONS

INGRÉDIENTS
50 g / 4 c. à table de beurre non salé
2 oignons moyens coupés en dés fins
300 g / 1 1/2 tasse de riz du Piedmont
100 ml / 1/2 tasse de vin blanc sec
1,5 à 2 l / 7 1/2 à 10 tasses de bouillon de poulet
1 pincée de safran
50 g / 1/3 tasse de parmesan

PRÉPARATION
♦ Faire fondre la moitié du beurre et frire les oignons jusqu'à ce qu'ils soient tendres.
♦ Laver le riz, puis l'ajouter aux oignons. Cuire le riz jusqu'à ce que les grains commencent à être transparents, mais pas bruns.
♦ Verser le vin et bien mélanger.
♦ Quand le vin est évaporé, commencer à ajouter le bouillon de poulet, une petite quantité à la fois, jusqu'à ce que le bouillon soit absorbé et que le riz soit cuit. Le riz doit être tendre et crémeux. Remuer constamment pour que le riz ne colle pas à la casserole.
♦ Entre-temps, prendre quelques filaments de safran et les faire tremper dans une petite quantité d'eau.
♦ Égoutter, ajouter le safran, le reste du beurre et le parmesan, et mélanger. Servir immédiatement.

— LE SAFRAN —

Riz au Safran

Riz au safran

INGRÉDIENTS

300 g / 1 1/4 tassse de riz Basmati
5 g / 1 c. à thé de filaments de safran
75 g / 6 c. à table de beurre clarifié
1 bâton de cannelle
4 clous de girofle
100 g / 1/2 tasse d'oignons hachés
7,5 g / 1 1/2 c. à thé de sel
125 mg / 1/4 c. à thé de graines de cardamome

PRÉPARATION

♦ Laver le riz et égoutter.
♦ Mettre le safran dans un bol. Y verser 30 ml / 2 c. à table d'eau bouillante. Laisser infuser pendant 10 minutes.
♦ Faire chauffer le beurre dans une grande casserole. Ajouter la cannelle, les clous et les oignons. Cuire jusqu'à ce que les oignons soient brun doré, en remuant constamment.
♦ Ajouter le riz et remuer pendant environ 5 minutes, ou jusqu'à ce que le liquide soit évaporé.
♦ Ajouter suffisamment d'eau pour recouvrir le riz d'environ 2,5 cm de liquide. Ajouter le sel et les graines de cardamome. Amener à ébullition à feu élevé, en remuant constamment.
♦ Ajouter le safran et son eau. Remuer délicatement.
♦ Couvrir la casserole. Cuire à feu doux pendant environ 25 minutes ou jusqu'à ce que le riz ait absorbé le liquide.

Riz avec safran

INGRÉDIENTS

400 g / 2 tasses de riz patna
125 mg / 1/4 c. à thé de safran
sel au goût

PRÉPARATION

♦ Mettre le riz, le safran et le sel dans une casserole.
♦ Recouvrir d'eau jusqu'à environ 2,5 cm au-dessus du riz.
♦ Amener à ébullition. Couvrir et laisser mijoter jusqu'à ce que l'eau ait été complètement absorbée.
♦ Laisser reposer 5 minutes avant de servir.

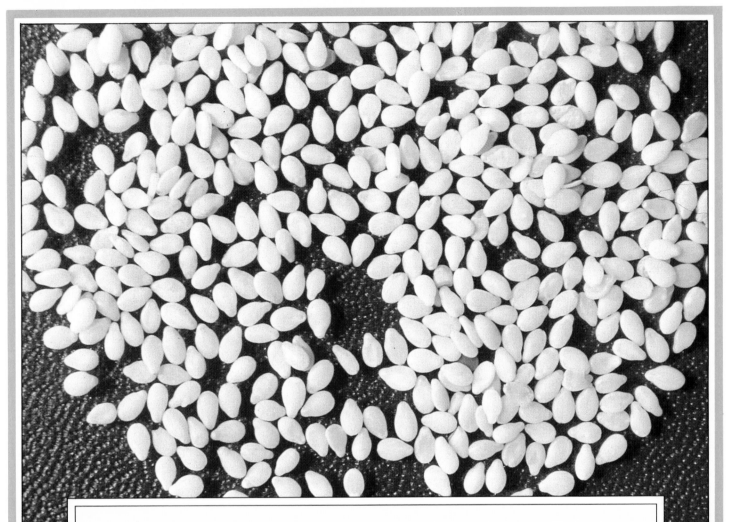

— Les graines de sésame —

*P*as étonnant que les voleurs ne pouvaient accéder à la caverne mystérieuse qu'à la condition de prononcer la phrase magique: «Sésame, ouvre-toi». Le fait est que le sésame donne l'une des graines les plus bénéfiques pour l'humanité. Il est originaire du Moyen-Orient, cet important carrefour entre l'Europe, l'Asie et l'Afrique, et on en fait mention dans des écrits égyptiens vieux de près de 4 000 ans. De nos jours, les graines de sésame sont cultivées partout dans le monde subtropical, mais surtout en Inde, en Chine, au Mexique et au Moyen-Orient. Leur utilisation première réside dans la production de l'huile végétale, mais les graines ont de nombreuses autres utilisations culinaires.

On en saupoudre pratiquement partout sur les aliments pour les rendre plus savoureux et plus appétissants. En Inde, les graines de sésame sont utilisées dans les currys et autres sauces.

L'halva, une sucrerie orientale, se compose de graines de sésames broyées, tout comme le tahina ou tahini, qui se mange généralement avec du pain pita.

Non seulement les Romains et les Grecs, mais en fait à peu près toutes les cultures à toutes les époques, ont saupoudré des graines de sésame sur les pains et les pâtisseries. Ces graines sont indispensables dans la cuisine: le seul problème, c'est qu'elles disparaissent rapidement!

Au cours des millénaires, les graines de sésame ont fait l'objet de nombreux écrits. Les premiers herboristes ont prétendu qu'elles constituaient un antidote contre les morsures de lézards tachetés. Prenez-en bonne note si vous êtes régulièrement confronté à ce problème! L'écrivain romain Pline prétendait que les graines de sésame causaient la mauvaise haleine. C'est cependant Hérodote, un historien grec, qui a raconté l'anecdote la plus bizarre à leur sujet. Un tyran local aurait un jour ordonné la castration de 300 jeunes garçons. En cours de route, les jeunes garçons réussirent à échapper à leurs gardes et trouvèrent refuge dans un temple. Ils purent soutenir le siège de leurs gardes en colère en mangeant les offrandes de gâteaux de sésame présentées par les dévots de la région. Les jeunes garçons finirent par rentrer chez eux intacts. Il y a sûrement une leçon à tirer de cette histoire, n'est-ce pas?

— Les graines de sésame —

Poitrines de poulet aux graines de sésame

6 PORTIONS

INGRÉDIENTS
2 œufs
romarin frais haché
poivre noir fraîchement moulu
30 g / 2 c. à table de farine de matzo fine
45 g / 3 c. à table de graines de sésame
1 kg de poitrines de poulet, désossées et coupées en petits
morceaux
huile végétale pour la friture

PRÉPARATION
♦ Mélanger les œufs, le romarin et le poivre.
♦ Mélanger la farine de matzo et les graines de sésame
♦ Tremper le poulet dans l'œuf, puis le passer dans le mélange de farine.
♦ Quand l'huile frémit, y mettre les morceaux de poulet.
♦ Quand le poulet est doré d'un côté, le saupoudrer généreusement de poivre et le retourner; poivrer également l'autre côté quand il est doré.
♦ Éponger le poulet à l'aide d'essuie-tout et servir.

— LES GRAINES DE SÉSAME —

Germes de soja à la coréenne

4-6 PORTIONS

INGRÉDIENTS
200 g / 2 3/4 tasses de germes de soja
10 ml / 2 c. à thé d'huile de maïs, de tournesol ou de sésame
2 queues de ciboules (échalotes)
100 ml / 1/2 tasse d'eau
10 g / 2 c. à thé de Poudre de graines de sésame
(voir ci-dessous, à droite)
10 g / 2 c. à thé de sel
1 poivron rouge

PRÉPARATION
♦ Laver et égoutter les germes de soja.
♦ Faire chauffer l'huile dans un wok ou un poêlon peu profond.
♦ Couper les queues de ciboules en rondelles.
♦ Dans le wok ou le poêlon, faire cuire, en remuant, les germes de soja et les queues de ciboules, avec la poudre de graines de sésame et le sel, jusqu'à ce que les germes de soja soient tendres.
♦ Mettre les légumes cuits dans un plat de service et décorer de lanières de poivron rouge.

Servir avec des satays, un mets de poisson ou toute viande de style orientale.

Hoummos

INGRÉDIENTS
150 g / 1 1/2 tasse de pois chiches
4 gousses d'ail écrasées
jus d'un citron
100 g / 1/2 tasse de pâte tahini
15 ml / 1 c. à table d'huile d'olive

GARNITURE
30 ml / 2 c. à table d'huile d'olive
1 pincée de paprika
3 bouquets de persil hachés

PRÉPARATION
♦ Laver les pois chiches et les faire tremper toute la nuit. Les rincer et les faire cuire dans de l'eau non salée jusqu'à ce qu'ils soient tendres, soit environ 1 heure. Conserver le liquide de cuisson.
♦ Passer les pois chiches au mélangeur avec l'ail, le jus de citron, la pâte tahini, 15 ml / 1 cuillerée à table d'huile d'olive et 60 ml / 4 c. à table d'eau de cuisson des pois chiches.
♦ Si la pâte est trop épaisse, ajouter un peu plus d'eau, jusqu'à ce qu'elle ait la consistance de la mayonnaise. Ajouter de l'ail et du jus de citron au goût.
♦ Réfrigérer. Servir dans un plat peu profond, égaliser la surface et garnir de paprika et de persil haché. Arroser du reste d'huile d'olive. Servir avec du pain pita.

Croquants au sésame

POUR 10 CROQUANTS

INGRÉDIENTS
100 g / 1/2 tasse de beurre ou de margarine
30 ml / 2 c. à table de sirop de maïs
25 g / 2 c. à table de sucre brun
150 g / 2 tasses de flocons d'avoine
30 g / 2 c. à table de graines de tournesol
15 g / 1 c. à table de flocons de noix de coco ou
ùde pépites de caroube
température du four: 190 °C / 375 °F / Gaz 5

PRÉPARATION
♦ Faire chauffer le beurre et le sirop, jusqu'à ce que le beurre ait fondu.
♦ Retirer du feu et incorporer le reste des ingrédients.
♦ Mettre le mélange dans un moule graissé et presser. Cuire au four pendant 30-40 minutes ou jusqu'à ce que le dessus soit brun.
♦ Retirer du four, laisser refroidir 10 minutes, puis couper en carrés dans le moule. Attendre que les croquants soient complètement refroidis avant de les retirer du moule.

Poudre de graines de sésame

INGRÉDIENTS
graines de sésame

PRÉPARATION
♦ Laver les graines de sésame soigneusement, puis les égoutter.
♦ Les faire rôtir lentement dans une poêle à frire sèche, en les tournant constamment, jusqu'à ce qu'elles soient légèrement brunies.
♦ Retirer les graines du feu et les réduire en poudre dans un mortier avec un pilon.
♦ Conserver la poudre de graines de sésame dans un contenant hermétique à l'abri de la lumière.

— L'ANIS ÉTOILÉ —

L'anis étoilé n'est pas seulement la plus belle épice qui soit, c'est une merveille architecturale de la nature. Il n'est pas apparenté à l'anis vert, mais leurs huiles essentielles, et donc leurs arômes, sont presque identiques. Ces huiles essentielles servent à aromatiser un certain nombre de boissons, principalement l'Anisette et le Pernod. L'anis étoilé est originaire du sud de la Chine ou du nord du Vietnam, et il est cultivé dans tout le Sud-Est Asiatique. C'est la cuisine chinoise qui l'utilise le plus souvent, et de loin. En fait, l'arôme caractéristique des restaurants chinois vient principalement de l'anis étoilé.

Pour les chefs chinois, il serait impensable de préparer la plupart des plats de canard ou de poisson sans cette précieuse épice.

Avant tout, l'anis étoilé figure dans le mélange de cinq-épices chinoises, une combinaison subtile et utile qu'il vaut la peine d'avoir dans sa cuisine. Il s'agit tout simplement du mélange, en proportions égales, des cinq épices moulues suivantes :

♦ du poivre du Sichuan, *Zanthoxylum piperitum*, que vous devrez acheter dans une boutique d'aliments chinois;

♦ de la casse (en Amérique, la cannelle est en réalité de la casse);

♦ des clous de girofle;

♦ des graines de fenouil;

♦ de l'anis étoilé.

N'oubliez pas qu'une pincée suffit. Si vous devez substituer le poivre de Sichuan, utilisez une quantité égale de grains de poivre blanc et de chilis broyés.

Crevettes sautées

4 PORTIONS

INGRÉDIENTS

30 ml / 2 c. à table d'huile à cuisson
2 chilis rouges séchés, finement hachés
4 gousses d'ail hachées
30 ml / 6 c. à thé de sauce de soja
240 g / 1 1/2 tasse de crevettes décortiquées,
décongelées et égouttées
50 g / 1/2 tasse de noix de cajou non salées
100 g / 2 tasses de champignons tranchés
5 branches de céleri en dés
10 cm de concombre pelé et en dés
1/3 de chou chinois en dés
1/4 de laitue romaine en dés
morceau de 2,5 cm de gingembre frais, finement haché
1 pincée de cinq-épices chinoises (voir page 110)
6 ciboules (échalotes) finement hachées
400 g / 6 tasses de germes de soja

PRÉPARATION

♦ Faire chauffer 15 ml / 1 c. à table d'huile dans un wok. Ajouter les chilis, 1 gousse d'ail et 2,5 ml / 1/2 c. à thé de sauce de soja.
♦ Ajouter les crevettes et les faire sauter. Ajouter les noix de cajou et faire sauter pendant quelques secondes. Retirer les crevettes et les noix, et réserver.
♦ Faire sauter les champignons, le céleri, le concombre, le chou et la laitue, plus 22,5 ml / 4 1/2 c. à thé de sauce de soja. Retirer et réserver.
♦ Mettre le reste de l'huile dans le wok, puis ajouter le reste de l'ail, le gingembre et la poudre de cinq-épices.
♦ Ajouter les germes de soja et encore 5 ml / 1 c. à thé de sauce de soja. Faire sauter. Ajouter tous les autres ingrédients et bien mélanger. Servir immédiatement.

— L'ANIS ÉTOILÉ —

Canard de Pékin

4 PORTIONS

INGRÉDIENTS
PREMIÈRE MARINADE
1 canard de 1,5 kg
6 ciboules (échalotes)
90 ml / 6 c. à table de vin
30 ml / 2 c. à table de sauce de soja

DEUXIÈME MARINADE
4 tranches de gingembre frais
16 clous de girofle
4 gousses d'anis étoilé
2 racines de fenouil

PRÉPARATION
♦ Laver et éponger le canard.
♦ Écraser les ciboules et ajouter les autres ingrédients de la première marinade.
♦ Mettre les ciboules à l'intérieur du canard seulement, badigeonner la marinade sur la surface extérieure, et laisser mariner pendant 2 heures.
♦ Retirer les ciboules de l'intérieur du canard et les remplacer par 2 tranches de gingembre.
♦ Étendre les ciboules, les 2 autres tranches de gingembre et les autres ingrédients de la deuxième marinade sur le canard et autour de lui.
♦ Cuire le canard à la vapeur pendant une heure, le laisser refroidir et l'égoutter.
♦ Dans une poêle, faire chauffer presque assez d'huile pour éventuellement couvrir le canard à grande friture.
♦ Quand l'huile est très chaude, la retirer du feu et y placer délicatement le canard en faisant attention de ne pas se brûler. Arroser le canard d'huile à l'aide d'une cuillère et faire frire jusqu'à ce que tout le canard soit brun; remettre la casserole sur le feu seulement si l'huile se refroidit trop.

Servir avec la marinade et la sauce.

La marinade

INGRÉDIENTS
1 concombre
5 g / 1 c. à thé de sel
10 g / 2 c. à thé de sucre
1 chili coupé en lanières
1 oignon tranché
15 ml / 1 c. à table de vinaigre

PRÉPARATION
♦ Trancher le concombre dans le sens de la longueur, retirer les pépins et le couper en languettes. Ajouter le sel et réserver pendant 15 minutes. Bien rincer, et égoutter.
♦ Ajouter le sucre, le chili et les tranches d'oignon. Finalement, arroser de vinaigre.

La sauce

INGRÉDIENTS
15 g / 1 c. à table de fèves de soja broyées
5 ml / 1 c. à thé de sauce de soja
5 ml / 1 c. à thé d'huile de sésame
5 g / 1 c. à thé de sucre
5 ml / 1 c. à thé d'eau

PRÉPARATION
♦ Combiner tous les ingrédients et cuire à la vapeur, à feu doux, pendant 10 minutes.

— L'ANIS ÉTOILÉ —

Soupe au poulet du Sud-Est Asiatique

8 PORTIONS

INGRÉDIENTS
SOUPE
400 g de bœuf
1 poulet moyen
5 g / 1 c. à thé de lengkuas (gingembre thaïlandais)
2 anis étoilés
10 clous de girofle
1/2 muscade râpée
8 grains de poivre
5 g / 1 c. à thé de sel
5 g / 1 c. à thé de sucre (facultatif)
10 petits oignons tranchés et frits
10 gousses d'ail tranchées et frites

GARNITURE
20 petits oignons tranchés et frits
1 botte de ciboules (échalotes)
100 g / 1 tasse de céleri chinois tranché
100 g / 1 1/2 tasse de germes de soja

ESCALOPES
200 g / 1 tasse de bœuf haché
400 g / 4 tasses de pommes de terre, bouillies et en purée
2 œufs
5 g / 1 c. à thé de sel
poivre au goût
1 pincée de muscade râpée
huile végétale pour la friture

PRÉPARATION
♦ Faire bouillir 1 1 / 4 1/2 tasses d'eau, ajouter le bœuf et laisser mijoter jusqu'à ce qu'il soit tendre. Retirer le bœuf et le couper en petits morceaux.
♦ Ajouter encore 2 1 / 9 tasses d'eau au bouillon de bœuf et amener à ébullition.
♦ Ajouter le poulet et le faire cuire à feu moyen. Retirer la volaille une fois qu'elle est cuite, soit environ 1 heure après, puis rincer à l'eau froide.
♦ Détacher la chair des os, réserver, puis remettre les os dans le bouillon.
♦ Ajouter les épices et les deux tiers des petits oignons et de l'ail cuits.
♦ Laisser mijoter pendant 20 minutes, puis passer.
♦ Pour faire les escalopes, mélanger tous les ingrédients et le reste des petits oignons et de l'ail de la soupe.
♦ Façonner en croquettes et faire frire celles-ci jusqu'à ce qu'elles soient d'un brun doré.
♦ Placer les germes de soja, le poulet, les tranches de bœuf et les escalopes dans des bols individuels et verser la soupe chaude par-dessus.

Servir avec du céleri chinois et des ciboules.

— Le curcuma —

L e curcuma est une racine ou un rhizome apparenté au gingembre. Quand la racine est coupée en deux, l'intérieur, d'un jaune très profond, se révèle. Cette racine de la couleur du soleil fascinait sans doute les anciens, parce que dans l'Antiquité, elle était associée à la magie. Dans les cérémonies hindoues, elle représente la fertilité. Le curcuma est originaire de l'Inde, mais il est maintenant cultivé un peu partout dans le Sud-Est Asiatique et en Jamaïque. À cause de son odeur de renfermé et de sa couleur jaune, l'épice est un ingrédient essentiel dans les poudres de curry. On l'emploie largement dans toutes sortes d'applications culinaires où la couleur jaune est importante, par exemple dans les marinades et les pickles.

Le curcuma est une épice importante en elle-même; cependant, elle ne peut en aucun cas se substituer au safran. Les deux épices diffèrent considérablement non seulement en ce qui a trait à la saveur et à l'arôme, mais également à l'égard de leurs propriétés chimiques. Le safran, par exemple, est extrêmement soluble dans l'eau, tandis que le curcuma ne l'est pas. Essayer de préparer des grandes spécialités au safran, comme la paella ou la bouillabaisse, en utilisant du curcuma, est synonyme de désastre assuré.

Le curcuma est difficile à moudre, mais il est toujours vendu sous forme moulue. Il perd rapidement ses vertus aromatiques, de sorte qu'il est recommandé de ne pas en acheter de trop grandes quantités à la fois.

L'Iran et le Japon comptent parmi les principaux importateurs de l'épice. Les plats des fêtes en Iran sont souvent jaunes, mais c'est tout de même étonnant, parce que le safran est un produit domestique. Dans le cas du Japon, l'importation considérable de curcuma reflète peut-être simplement l'engouement actuel du pays pour le curry.

— LE CURCUMA —

Poisson au curcuma

4-6 PORTIONS

INGRÉDIENTS

*1 gros rouget, suffisant pour 4-6 portions (le mulet gris, la
baudroie ou tout autre poisson à chair ferme et non gras
peuvent être utilisés, sans doute à meilleur coût)*
la chair d'une noix de coco fraîche
2 piments (chilis) verts frais
1 morceau de gingembre de 2,5 cm
2,5 g / 1/2 c. à thé de poivre blanc
10 g / 2 c. à thé de curcuma
sel au goût
1 gros citron
température du four: 180 ˚C / 350 ˚F / Gaz 4

PRÉPARATION

♦ Laver et écailler le poisson, mais le conserver entier.
♦ Passer tous les autres ingrédients au mélangeur, sauf le
citron.
♦ Badigeonner la pâte obtenue sur le poisson, à l'intérieur et à
l'extérieur.
♦ Envelopper le poisson dans du papier d'aluminium et cuire
pendant 25-35 minutes.
♦ Arroser de jus de citron; servir avec des quartiers de citron.

— Le curcuma —

Pickles

INGRÉDIENTS
2 kg de courges
12 petits oignons
1 petit chou-fleur
environ 600 g / 5 tasses de haricots à filet
2 douzaines de cornichons
10 g / 2 c. à thé de sel marin
1 l / 4 1/2 tasses de vinaigre
30 g / 2 c. à table de sucre
6 grains de poivre
2 morceaux de racine de gingembre moyens
5 g / 1 c. à thé de Poudre de curry (voir page 124)
15 g / 1 c. à table de farine tout usage
45 g / 3 c. à table de curcuma

PRÉPARATION
♦ Couper les courges en cubes de 2,5 cm.
♦ Peler et trancher les oignons.
♦ Défaire le chou-fleur en petits bouquets.
♦ Couper les haricots en longueurs de 2,5 cm.
♦ Laver tous les légumes et les disposer dans un grand plat de porcelaine. Saupoudrer de sel marin et laisser reposer pendant 24 heures.
♦ Rincer et égoutter soigneusement les légumes.
♦ Mettre les légumes dans une grande casserole avec presque tout le vinaigre et le sucre, ainsi que les grains de poivre et le gingembre enfermés dans un sachet de mousseline (coton à fromage). Faire mijoter à feu doux.
♦ Mélanger la poudre de curry, la farine et le curcuma; réduire en pâte avec le reste du vinaigre.
♦ Amener les légumes à ébullition et incorporer la pâte au curcuma, de façon à obtenir une consistance homogène. Laisser mijoter pendant 10 minutes.
♦ Retirer le gingembre.
♦ Laisser refroidir et placer dans des contenants stérilisés.

Dinde rôtie

6-8 PORTIONS

INGRÉDIENTS
1 dinde de 4 kg
1 poivron vert finement haché
10 g / 2 c. à thé de gingembre
2 oignons finement hachés
350 g / 2 tasses de riz brun demi-cuit
30 ml / 2 c. à table de vinaigre
10 g / 2 c. à thé de curcuma
10 g / 2 c. à thé de poivre noir
10 g / 2 c. à thé de Garam Masala (voir page 124)
température du four: 170 °C / 325 °F / Gaz 3

PRÉPARATION
♦ Laver la dinde et enlever la peau.
♦ Pour préparer la farce, mélanger le poivron vert, le gingembre, les oignons et le riz avec 2,5 ml / 1/2 c. à thé de vinaigre; farcir la dinde de ce mélange.
♦ Préparer une pâte avec le curcuma, le poivre noir, le Garam Masala et le reste du vinaigre. Badigeonner la dinde de cette pâte.
♦ Couvrir la dinde de papier d'aluminium et cuire au four pendant 20 minutes par 400 g.
♦ Arroser fréquemment la dinde de son propre jus et de beurre.
♦ Retirer le papier d'aluminium pour faire brunir la volaille 20 minutes avant de la sortir du four.

— La vanille —

Il est impossible de trop insister sur la richesse culinaire qui nous a été transmise par les Mexicains précolombiens. Que serait la crème glacée s'ils ne nous avaient pas fait cadeau du chocolat et de la vanille? De nos jours, le problème est qu'il est plutôt rare de trouver de la vanille authentique dans les préparations commerciales. L'industrie alimentaire insiste pour utiliser la vanille artificielle, qui, selon les technologues, est chimiquement identique à l'originale. Ce n'était pas si mal autrefois quand elle était extraite de l'eugénol contenu dans les clous de girofle, la cannelle ou les huiles de piments. Cependant, par la suite, elle a été fabriquée à partir d'extraits de goudron de houille… Or, de nos jours, la vanille artificielle est majoritairement produite à partir des déchets des usines de papier! Quoi qu'il en soit, la vanille artificielle, comme épice, est nettement inférieure à la vanille elle-même.

Bien que la vanille soit désormais cultivée dans toutes les régions tropicales, la meilleure provient encore du Mexique. Prenez la peine d'acheter ces merveilleuses gousses fraîches, longues et brunes. Les meilleures gousses sont enrobées de minuscules cristaux blancs ou glaçage. C'est là que la saveur est la plus concentrée.

L'endroit idéal pour conserver la vanille est de la planter dans le sucrier. Non seulement la vanille conservera-t-elle sa fraîcheur, mais le sucre va acquérir un goût encore plus délicieux. Dans notre cuisine, nous avons besoin de deux grands contenants à sucre, parce que l'un est occupé par les bâtons de cannelle et l'autre par les gousses de vanille.

Bien que la vanille et la cannelle complètent traditionnellement le chocolat, nous n'avons pas encore eu le courage de mettre les deux dans le même contenant.

— LA VANILLE —

Crème glacée à la vanille

INGRÉDIENTS
3 œufs
50 g / 1/4 tasse de sucre vanillé
225 ml / 1 tasse de lait
12,5 g / 2 1/2 c. à thé de gélatine
50 ml / 1/4 tasse d'eau
10 ml / 2 c. à thé d'Essence (extrait) de vanille
(voir page 121)
225 ml / 1 tasse de crème à fouetter

PRÉPARATION
♦ Battre les œufs et le sucre jusqu'à ce que le mélange soit pâle et mousseux.
♦ Faire chauffer le lait, presque jusqu'au point d'ébullition; le verser sur le mélange d'œufs.
♦ Remettre le mélange dans la casserole. Laisser mijoter à feu très doux ou dans un bain-marie, jusqu'à ce que le mélange épaississe, en remuant constamment.
♦ Laisser refroidir.
♦ Mettre la gélatine dans l'eau pendant 5 minutes, puis la faire chauffer pour la dissoudre.
♦ Incorporer l'*Essence de vanille* dans la crème pâtissière refroidie, suivie de la gélatine.
♦ Fouetter la crème et l'incorporer au mélange avant qu'il fige.
♦ Verser dans un récipient et réfrigérer.

— La vanille —

Café glacé

INGRÉDIENTS
500 ml / 2 1/2 tasses de café fort
250 ml / 1 1/4 tasse de lait froid
30 g / 1/4 tasse de sucre (facultatif)
2,5 ml / 1 1/2 c. à thé d'Essence (extrait) de vanille
(voir p. 121)
50-75 ml / 2-3 c. à table de crème à fouetter

PRÉPARATION
♦ Mélanger tous les ingrédients. Réfrigérer et servir très froid.

Sandwiches à la vanille

INGRÉDIENTS
150 g de pâte feuilletée
150 ml / 2/3 tasse de crème à fouetter
5 ml / 1 c. à thé d'Essence (extrait) de vanille (voir p. 121)
175 g / 1 1/4 tasse de framboises
glaçage blanc à la vanille
température du four: 235 °C / 450 °F / Gaz 6-7

PRÉPARATION
♦ Rouler la pâte feuilletée, jusqu'à ce qu'elle atteigne 0,5 cm d'épaisseur. La couper en lanières de 10 cm de largeur.
♦ Cuire pendant 20 minutes. Laisser refroidir.
♦ Fouetter la crème et ajouter l'essence de vanille.
♦ Nettoyer et laver les framboises.
♦ Avec 2 ou 3 tranches de pâte feuilletée cuite, faire des sandwiches avec la crème fouettée et les framboises.
♦ Couvrir chaque sandwich d'un peu de glaçage à la vanille. C'est délicieux!

Biscuits à l'avoine

POUR 36 BISCUITS

INGRÉDIENTS
100 g / 1/2 tasse de margarine
100 g / 1/2 tasse de sucre brun
sel (facultatif)
1 œuf légèrement battu
7,5 ml / 1 1/2 c. à thé d'Essence (extrait) de vanille
(voir p. 121)
200 g / 2 tasses de farine de blé entier
3,5 g / 3/4 c. à thé de poudre à pâte
400 g / 2 1/3 tasses de germe de blé
600 g / 7 tasses de flocons d'avoine
175 g / 1 tasse de graines de tournesol ou de noix hachées
175 g / 1 tasse de raisins secs (facultatif)
température du four: 190 °C / 375 °F / Gaz 5

PRÉPARATION
♦ Réduire en crème la margarine, le sucre et le sel.
♦ Incorporer l'œuf et la vanille.
♦ Tamiser la farine et la poudre à pâte.
♦ Mélanger la farine avec le germe de blé et les flocons d'avoine.
♦ Mélanger ensemble les ingrédients secs et les ingrédients liquides.
♦ Ajouter une cuillerée d'eau, si le mélange est trop épais.
♦ Déposer des cuillerées de pâte sur une plaque à pâtisserie bien graissée.
♦ Cuire pendant 10-12 minutes ou jusqu'à ce que les biscuits soient dorés.

— LES SAUCES —

Sauce Worcestershire   *Essence de vanille*   *Vinaigre au chili*

Sauce Worcestershire

INGRÉDIENTS
6 gousses d'ail écrasées
5 g / 1 c. à thé de poivre noir
1,25 g / 1/4 c. à thé de poudre de chili
75 ml / 1/3 tasse de sauce de soja
350 ml / 1 1/2 tasse de vinaigre

PRÉPARATION
♦ Passer tous les ingrédients au mélangeur. Conserver dans un contenant hermétique. Bien remuer avant d'utiliser.

Sauce au raifort

INGRÉDIENTS
15 g / 1 c. à table de raifort fraîchement râpé
150 ml de crème à fouetter
quelques gouttes d'huile d'olive

PRÉPARATION
♦ Mélanger ensemble la crème et le raifort.
♦ Ajouter l'huile d'olive.

Pâte à l'ail

INGRÉDIENTS
2 bulbes d'ail
quelques gouttes d'huile d'olive
beurre clarifié

PRÉPARATION
♦ Écraser l'ail soigneusement dans l'huile.
♦ Quand la pâte forme une masse homogène et épaisse, la mettre dans un petit contenant. Couvrir de beurre et de papier d'aluminium.

Vinaigre au chili

INGRÉDIENTS
1 1/2 c. à table de chili rouge
500 ml / 2 1/2 tasses de vinaigre

PRÉPARATION
♦ Plonger le chili dans le vinaigre. Remuer quotidiennement pendant 10 jours.
♦ Passer et mettre en bouteille.

— LES SAUCES —

Sauce béchamel   Pâte à l'ail   Sauce au raifort   Mayonnaise à la moutarde

Sauce béchamel

DONNE 0,5 L

INGRÉDIENTS

50 g / 4 c. à table de beurre ou de margarine
12 g / 2 c. à table de farine
375 ml / 2 tasses de lait
sel et poivre au goût
muscade, si nécessaire

PRÉPARATION

♦ Faire fondre le beurre dans une casserole.
♦ Incorporer la farine.
♦ Retirer du feu et ajouter un peu de lait. Remettre la casserole à feu doux, et ajouter le reste du lait petit à petit. Remuer constamment.
♦ Cuire encore pendant 10 minutes sans cesser de remuer; ajouter du sel et du poivre.

Essence (extrait) de vanille

INGRÉDIENTS

2 gousses de vanille
225 ml / 1 tasse de brandy (ou cognac)

PRÉPARATION

♦ Briser partiellement les gousses de vanille et les mettre dans le brandy. Laisser dans un contenant hermétique pendant 6 semaines; agiter quotidiennement.

Mayonnaise à la moutarde

INGRÉDIENTS

7,5 g / 1/2 c. à table de moutarde de Dijon
jaune d'œuf
2,5 ml / 1/2 c. à thé ml de Sauce Worcestershire (voir page 120)
5 ml / 1 c. à thé de vinaigre de vin blanc
sel et poivre fraîchement moulu
plusieurs gouttes de sauce tabasco
225 ml / 1 tasse d'huile de tournesol
jus de un demi-citron

PRÉPARATION

♦ Mélanger ensemble la moutarde de Dijon, le jaune d'œuf, la sauce Worcestershire, le vinaigre, le sel, le poivre, la sauce tabasco et une petite quantité d'huile.
♦ Ajouter le reste de l'huile, lentement, en remuant constamment.
♦ Ajouter le jus de citron.

— LES BOISSONS —

Vodka à l'anis   *Tequila Maria*

Vodka à l'anis

INGRÉDIENTS
30 g / 2 c. à table de graines de coriandre
15 g / 1 c. à table de graines de fenouil
45 g / 3 c. à table de graines d'anis
100 g / 1/2 tasse de sucre
500 ml / 2 1/2 tasses de vodka

PRÉPARATION
♦ Moudre ou broyer les graines.
♦ Ajouter les graines broyées et le sucre à la vodka.
♦ Agiter vigoureusement tous les jours pendant une semaine.
♦ Passer et embouteiller.

Saké Maria

INGRÉDIENTS
100 ml / 1/2 tasse de jus de tomate
jus d'un citron
sauce tabasco au goût
poivre fraîchement moulu
50 ml / 1/4 tasse de saké

PRÉPARATION
♦ Mélanger tous les ingrédients, avec de la glace concassée, dans un grand verre droit. Servir avec une branche de céleri.

Tequila Maria

INGRÉDIENTS
1 généreuse pincée de poivre blanc
1 généreuse pincée de sel de céleri
sauce tabasco au goût
1 soupçon de Sauce Worcestershire (voir page 120)
1 pincée d'origan
jus d'une lime ou d'un citron frais
2,5 g / 1/2 c. à thé de raifort fraîchement râpé
50 ml / 1/4 tasse de Tequila
100 ml / 1/2 tasse de jus de tomate

PRÉPARATION
♦ Mélanger tous les ingrédients vigoureusement dans un grand verre droit avec de la glace concassée.

— LES BOISSONS —

Vin cuit

INGRÉDIENTS

1 orange tranchée
1 citron tranché
1 bâton de cannelle
10 clous de girofle
1,25 g / 1/4 c. à thé de gingembre
1/4 de noix de muscade râpée
45 g / 3 c. à table de sucre brun
500 ml / 2 tasses de vin rouge
100 ml / 1/2 tasse de brandy (ou cognac)
250 ml / 1 1/4 tasse d'eau

PRÉPARATION

♦ Mettre les fruits, les épices et le sucre au fond d'une casserole.
♦ Ajouter le vin, le brandy et l'eau.
♦ Faire chauffer graduellement, jusqu'au point d'ébullition.
♦ Rectifier l'assaisonnement au goût.
♦ Laisser mijoter doucement jusqu'au moment de servir.

Ne *pas* faire bouillir, parce que cela ferait disparaître la teneur en alcool.

Punch épicé

INGRÉDIENTS

1 bouteille de bordeaux rouge
zeste d'une orange
6 clous de girofle
1 bâton de cannelle
3 gousses de cardamome écrasées
3 graines de coriandre écrasées
15 g / 1 c. à table de racine de gingembre écrasée

PRÉPARATION

♦ Mettre tous les ingrédients dans un bol, et laisser reposer 8 heures.
♦ Passer et faire chauffer jusqu'à ce que le vin commence à onduler.
♦ Ne pas faire bouillir.

— LES MÉLANGES D'ÉPICES —

Poudre de curry 1   Poudre de curry 2   Garam Masala
Garam Masala 1   Garam Masala 2   à l'ancienne

Quand des épices individuelles sont mélangées, le résultat aromatique du mélange est souvent meilleur que la somme de ses parties. Faites chauffer les graines dans le four ou dans un poêlon jusqu'à ce qu'un riche arôme s'en dégage. Évitez de faire chauffer les graines de coriandre et de cumin dans le même poêlon. Utilisez un moulin électrique. Un moulin à café fait très bien l'affaire. Comme l'arôme des épices est persistant, certaines personnes préfèrent avoir un moulin spécialement destiné à cet usage. Tamisez soigneusement. Conservez les épices dans un contenant hermétique, dans un endroit sombre, frais et sec.

Les mélanges d'épices s'améliorent de jour en jour pendant les premières semaines, puis ils commencent à perdre du goût; il est donc recommandé de ne pas en préparer de trop grandes quantités à la fois.

Les nombres à côté des épices indiquent les proportions.

Mélanges de poudre de curry

MÉLANGE 1	MÉLANGE 2
Cumin 1	Poivre noir 1
Coriandre 4	Clous de girofle 1
Fenugrec 1/2	Cannelle 2
Curcuma 1 1/2	Cardamome 1
Poivre noir 1/2	Coriandre 6
Cardamome 1/4	Cumin 2
Chili 1	Fenugrec 1/2
(peut varier selon la force	Muscade 1
désirée)	Chili 2

Garam Masala

MÉLANGE 1	MÉLANGE 2
Cannelle 2	Graines de nigelle 3
Poivre noir 3	Coriandre 7 1/2
Clous de girofle 2	Cardamome 4
Cumin 2	Feuilles de laurier 1/2
Macis 1	Clous de girofle 5
Graines de cardamome 1	Poivre noir 5
Feuilles de laurier 2	Muscade 1 1/2
	Macis 1 1/2
	Cannelle 4

— LES MÉLANGES D'ÉPICES —

| Quatre épices 1 | Quatre épices 2 | Poivre de cuisine |

Quatre épices

Ce célèbre mélange d'épices français est populaire dans les produits de charcuterie; cependant, il peut être utilisé comme assaisonnement général, quand il est nécessaire d'ajouter un peu de piquant. Le poivre blanc en est l'ingrédient principal.

MÉLANGE 1
Poivre blanc 7
Piment de la Jamaïque 3
Macis 1
Muscade 1/2
Clous de girofle 1/3
Cannelle 1/2

(Nous savons qu'il y a six épices. La muscade et le macis sont essentiellement la même épice, et le piment de la Jamaïque rend le mélange encore meilleur!)

MÉLANGE 2
Poivre blanc 7
Muscade 1
Clous de girofle 1
Gingembre 1

Poivre de cuisine

Ce mélange est extraordinaire dans les sauces.

Sel 10
Gingembre 4
Poivre blanc 1
Macis 1
Clous de girofle 1
Muscade 1

Poudre d'épices Philadelphia à l'ancienne

Assaisonnez un rôti de porc avec ce mélange 2 heures 1/2 avant de le faire cuire ou saupoudrez-en les biftecks, les sauces, les garnitures ou le jambon fumé.

MÉLANGE
Clous de girofle 2
Muscade 1
Macis 1
Poivre de Cayenne 1
Basilic 1
Thym 1
Feuille de laurier 1

— INDEX —

— INDEX —

— Index —